Stephen Thraves

Der gestohlene Plan

D0767004

Stephen Thraves

Der gestohlene Plan

ABENTEUER & SPIEL

Aus dem Englischen
von Christine Gallus

RAVENSBURGER BUCHVERLAG

G·AIZE

Knacke den Code
Folge der Karte
Löse den Fall

Lizenzausgabe
als Ravensburger Taschenbuch
Band 2126
erschienen 1998
© 1998 für die deutsche Textfassung
Ravensburger Buchverlag

Die Originalausgabe erschien 1989
bei Hodder Children's Books, London
unter dem Titel „The Hidden Blueprints"
© 1989 Stephen Thraves und
W.E. Johns Publications Ltd.

Umschlagillustration: Gary Rees

RTB-Reihenkonzeption:
Heinrich Paravicini, Jens Schmidt

**Alle Rechte dieser Ausgabe
vorbehalten durch
Ravensburger Buchverlag**

Printed in Germany

**Die Schreibweise entspricht den
Regeln der neuen Rechtschreibung.**

5 4 3 2 1   02 01 00 99 98

ISBN 3-473-52126-4

A B E N T E U E R

Bestimmt hast du schon viel von Biggles'
Ermittlungen per Flugzeug gehört ...
und diesmal kannst du sogar selbst
mitmachen!
Bei diesem Fall bist DU der Ermittler.
DU musst das Flugzeug steuern, den Kurs
bestimmen und die Karte lesen. Ob Biggles
und sein Team den Fall lösen, hängt ganz
allein von dir ab.
Es kann gut sein, dass du den Fall nicht
gleich beim ersten Durchgang knackst,
vielleicht musst du es sogar mehrmals
versuchen. Doch wenn du nicht gleich die
Flinte ins Korn wirfst, wirst du das Rätsel
bestimmt lösen!
Und selbst wenn du den Fall einmal gelöst
hast, kannst du das Spiel noch weiterspielen.
Denn es gibt viele Wege, die zur Lösung
führen – und jeder Weg führt dich zu
anderen Hinweisen und Abenteuern.
Du kannst das Spiel also immer wieder
spielen. So oft du willst!

Kompass

Fernglas

Kodierungskarte

SPIELANLEITUNG

Um den Fall zu lösen, musst du Biggles und sein Ermittlungsteam auf seinen Flügen begleiten. Startpunkt ist ABSCHNITT 1. Von dort aus folgst du einfach den Hinweisen auf die weiteren Abschnitte.

In den meisten Abschnitten musst du ein bestimmtes Problem knacken oder einen Hinweis herausfinden. Um den Fall zu lösen, musst du aber nicht unbedingt jeden einzelnen Abschnitt aufklären ... doch je mehr du herausfindest, desto besser stehen deine Chancen, ans Ziel zu kommen. Je weniger Probleme du löst, desto geringer deine Chance, den Fall erfolgreich zu lösen.

Beim Ermitteln stehen dir mehrere Hilfsmittel zur Verfügung: **eine Landkarte (auf der vorderen Umschlagklappe), ein Kompass, ein Fernglas und eine Kodierungskarte (hintere Umschlagklappe).** Zum Spielen musst du diese Teile herausbrechen. Gestartet wird mit nur einer dieser AUSRÜSTUNGS-KARTEN im Gepäck. Aber keine Bange: Im Laufe des Spiels wirst du auf weitere Hilfsmittel stoßen. Es kann aber auch vorkommen, dass du ein Instrument wieder abgeben musst.

Zur Aufbewahrung der AUSRÜSTUNGS-KARTEN, die dir während des Auftrags zur Verfügung stehen, dient die FLUGZEUG-KARTE. Mithilfe dieser Karte kannst du immer erkennen, welche der AUSRÜSTUNGS-KARTEN du gerade benutzen kannst. (Wenn du also ein bestimmtes Problem mit einer solchen Karte gelöst hast, vergiss nicht, sie in deine FLUGZEUG-KARTE zurückzustecken!) Die AUSRÜSTUNGS-KARTEN, die nicht in deiner FLUG-ZEUG-KARTE stecken, **dürfen nicht** benutzt werden – und sollten deshalb außerhalb des Spiels bleiben.

Natürlich brauchst du für deine Mission auch Treibstoff. Deshalb bekommst du auch eine BENZINUHR. Die BEN-ZINUHR und den Zeiger findest du in der hinteren Um-schlagklappe. Breche beide Teile heraus und befestige den Zeiger mit einer Paketklammer auf der Benzinuhr. An der Position der Nadel kannst du an jedem beliebigen Punkt des Spiels ablesen, wie viel Treibstoff dir noch bleibt.

Wenn du in einem Abschnitt erfährst, dass Biggles' Flug-zeug eine bestimmte Menge an Treibstoff verbraucht oder verloren hat, musst du die Nadel um ein Farbfeld **im Uhr-zeigersinn** weiterdrehen. Steht die Anzeige zum Beispiel auf *voll*, wird sie auf *ausreichend* weitergedreht.

Wenn die Nadel das *Gefahr*-Feld erreicht, bedeutet das, dass du nicht mehr genug Treibstoff hast und die Ermitt-lungen sofort abgebrochen werden müssen. Mit anderen Worten: Das Spiel ist zu Ende! Dann gibt's nur eins: Neu-beginn bei **Abschnitt 1**. (Vielleicht startest du beim nächs-ten Mal mit einer anderen AUSRÜSTUNGS-KARTE und hast dann mehr Glück.)

LOS GEHT'S

Der ehemalige Jagdflieger „BIGGLES" (mit richtigem Namen James Bigglesworth) arbeitet mittlerweile für New Scotland Yard. Er ist der Leiter eines kleinen *Flug-Ermittlungsteams*. Das Team kommt immer dann zum Einsatz, wenn ein Kriminalfall die Reichweite von normalem Bodenpersonal überschreitet. Weitere Mitglieder dieses Expertenteams sind HENRY (ein verwöhnter Exzentriker mit Monokel), FRED (ein äußerst intelligenter, wenngleich auch noch sehr junger Pilot) … und ein ziemlich altmodisches Leichtflugzeug! Obwohl Biggles immer wieder eine modernere Maschine angeboten wird, beharrt er hartnäckig auf seinem geliebten Vorkriegsmodell: einer viersitzigen Auster.

Biggles' Vorgesetzter Admiral Raymond hat soeben vom Tod eines gewissen Werner Wolffs erfahren. Wolff hatte früher einmal für einen gegnerischen Geheimdienst gearbeitet und war dann plötzlich spurlos verschwunden … und das mit den einzigen Plänen für eine neue Atomwaffe! Damals waren sie davon ausgegangen, dass er sie dem Meistbietenden verkaufen würde.

Doch jetzt stellt sich heraus, dass Wolff unter einem Decknamen auf Jamaika gelebt hatte. Als die jamaikanischen Behörden das Haus eines Toten durchsuchen, finden sie

9

Wolffs richtigen Pass in einem Safe! Die gestohlenen Pläne tauchen bei der Hausdurchsuchung jedoch nicht auf. Jetzt gilt es, die Entwürfe so schnell wie möglich zu finden, denn natürlich ist auch der gegnerische Geheimdienst hinter ihnen her!

Die einzigen Hinweise, die Wolff über den Verbleib der Pläne hinterlassen hat, sind ein Notizbuch zum Entschlüsseln von Geheimkodes und ein rätselhaftes Foto eines Flamingos, der im Sumpf steht. Was hatte dieser Hinweis auf Flamingo Island, einer großflächigen, dünn besiedelten Insel rund fünfzig Meilen von Jamaika, zu bedeuten? War es nur eine Finte oder doch mehr?

Da es vorerst ihre einzige Spur ist, werden Biggles und sein Team nach Flamingo Island beordert. Ihr Auftrag: die Entwürfe finden und zerstören, ehe sie in falsche Hände geraten ...

1

Knapp zwei Wochen später kreuzte die Auster unter einem wolkenlosen karibischen Himmel. Biggles saß auf der linken Vorderseite am Steuerknüppel, neben ihm Henry. Fred hatte auf dem Rücksitz Platz genommen und streckte von Zeit zu Zeit aufgeregt seinen Kopf zu ihnen nach vorn. Ihr Flugzeug war von einem Flugzeugträger der britischen Marine nach Jamaika transportiert worden. Während des Transports hatten sie das Flugzeug mit Kufen versehen, um es wassertauglich zu machen. Auf Flamingo Island gab es nämlich keine Landebahn.

„Allmählich müsste Flamingo Island doch in Sicht kommen", meinte Fred ungeduldig, während sein Blick über das blaugrüne Meer unter ihnen glitt. „Seit Jamaika sind wir bestimmt schon vierzig Meilen geflogen." Biggles warf einen prüfenden Blick auf das Armaturenbrett und erklärte Fred, sie seien jetzt exakt *zweiundvierzig* Meilen geflogen. „Du hast also völlig Recht", fügte er hinzu und blickte mit zusammengekniffenen Augen zum Horizont. „Flamingo Island kann jeden Moment vor uns auftauchen."

Mit dem PERSONENWÜRFEL bestimmst du, wer Flamingo Island zuerst entdeckt. Die Bastelanleitung für den PERSONENWÜRFEL findest du auf Seite 219.

BIGGLES	weiter geht's bei 226
HENRY	weiter geht's bei 53
FRED	weiter geht's bei 127

2

Während Fred auf seinen Kompass blickte, schlug sich Henry mit der flachen Hand gegen die Stirn.

„Was bin ich doch für ein Esel!", rief er. „Wie konnte ich nur auf diese absurde Idee kommen, dass Wolff diese Felsbrocken angeordnet haben soll. Seht euch doch nur mal an, wie groß die sind. Zehn Männer würden nicht ausreichen, um auch nur einen einzigen davon hochzuheben, von Wolff allein ganz zu schweigen. Es ist also nichts als purer Zufall, dass sie von hier aus wie ein Pfeil aussehen!"

Während Biggles die flaschenförmige Insel hinter sich ließ und das Flugzeug auf die eigentliche Insel zusteuerte, warf er einen prüfenden Blick auf die Benzinuhr. Die fünfzig Meilen seit Jamaika machten sich bereits auf der Anzeige bemerkbar!

Drehe die Nadel auf deiner BENZINUHR um ein Farbfeld im Uhrzeigersinn weiter.
Weiter geht's bei 215

3

„Warte mal einen Moment, mein Freund", sagte Henry und legte Fred, der in seiner Hosentasche nach seinem Kompass suchte, die Hand auf den Arm. „Jede Palme sieht aus wie ein Pfeil, wenn man sie auf den Boden legt. Das allein sagt noch gar nichts aus!" Doch Fred ließ sich nicht von seiner Idee abbringen und erwiderte, es gebe ja noch einen Hinweis. „Sieh dir nur mal den Schnitt in ihrem Stamm an", beharrte er. „Er ist viel zu sauber, als dass er von einem Sturm stammen könnte."

Weiter geht's bei 128

Die Auster flog nun ins Landesinnere der Insel und passierte die Palmen, die ihre Küste säumten. Fred betrachtete nachdenklich die sturmgebeugten Stämme und beschloss, mit dem Kompass die vorherrschende Windrichtung zu bestimmen. Wer wusste, ob sich diese Information nicht als nützlich erweisen würde. Er musste nur auf dem Kompass nachsehen, in welcher Richtung sich die Palmen beugten.

Lege deinen KOMPASS mit dem Zeiger auf Norden auf die vorgezeichnete Schablone, um die vorherrschende Windrichtung zu bestimmen.
Weiter geht's bei der Ziffer, die im Fenster erscheint. Wenn du keinen KOMPASS in deiner FLUGZEUG-KARTE hast, musst du raten, bei welchem Abschnitt es weitergeht.

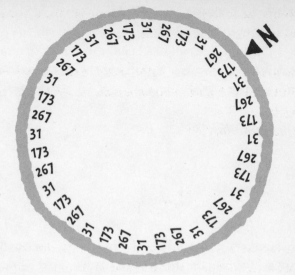

„Ich fürchte, unser gemeinsamer Freund Wolff war ein kleiner Scherzbold!", brummte Henry über sein Kodierungsbuch hinweg. „Diese Symbole haben schlichtweg keine Bedeutung – jedenfalls tauchen sie nicht in seinem Kodierungsbuch auf. Ich hege den Verdacht, dass er sich einfach einen Spaß mit uns erlauben wollte!" Fred stieg die Zornesröte ins Gesicht. Zähneknirschend zerriss er das Stück Papier, auf dem er vorhin gespannt die Zeichen notiert hatte und warf es aus dem Fenster. Erst dann fiel ihm wieder ein, dass er sie auf die Rückseite seiner Landkarte gekritzelt hatte!

„Wolffs Geist kann sich jetzt jedenfalls köstlich über uns amüsieren", brummte er missmutig.

Wenn du bereits eine LANDKARTE in deiner FLUG-ZEUG-KARTE hast, dann musst du sie jetzt leider wieder abgeben.
Weiter geht's bei 218

Ehe Fred seine Landkarte studieren konnte, drückte Biggles den Steuerknüppel nach vorn und überflog die Lagune.
„Sieht ziemlich tief aus", meinte Henry, als sie wieder an Höhe gewannen. „Wenn ihr mich fragt, können wir die Landung ohne weiteres riskieren." Biggles nickte und flog eine enge Schleife, ehe er sanft auf der Lagune landete. Sie waren am einen Ende der Lagune so nah wie möglich am Ufer. Bevor er den Motor abschaltete, warf er nochmals einen Blick auf die Benzinuhr. Der Treibstoffvorrat war bereits erheblich gesunken.

Drehe die Nadel auf deiner BENZINUHR um ein Farbfeld im Uhrzeigersinn weiter.
Weiter geht's bei 160

7

Fred entschlüsselte hastig die Nachricht.

„DIESE NEGATIVE WURDEN IN WOLFFS HAUS GEFUNDEN – MÖGLICHERWEISE ENTHALTEN SIE EINEN HINWEIS." Einen Moment lang sprach keiner von ihnen ein Wort.

„Offenbar sind wir nicht die Einzigen, die hinter den Plänen her sind", murmelte Biggles schließlich. „Und auch nicht die Einzigen, die annehmen, dass er auf dieser Insel war." Beklommen kletterten die drei Männer in ihr Flugzeug zurück, um sich erneut in die Luft zu schwingen.

Weiter geht's bei 162

8

„Wie wär's mit den Palmen da unten auf der rechten Flussseite?", schlug Fred vor. „Dort könnten wir das Flugzeug vertäuen." Biggles nickte und steuerte die Maschine auf die Palmengruppe zu. Während sie sich dem Boden näherten, griff Fred in seine Jackentasche nach seiner Landkarte. Er wollte nachsehen, wie groß das Sumpfgebiet genau war.

16 *Suche auf deiner LANDKARTE, in welchem Planquadrat das Sumpfgebiet mit den Flamingos liegt, und folge der Anweisung. Wenn du keine LANDKARTE in deiner*

FLUGZEUG-KARTE hast, musst du raten, bei welchem Abschnitt es weitergeht.

Bei D3   **weiter geht's bei 270**
Bei C3   **weiter geht's bei 37**
Bei B3   **weiter geht's bei 164**

9

„Ich finde, wir sollten lieber zuerst das Sumpfgebiet unter die Lupe nehmen", meinte Biggles zu Henry, der bereits nach seinem Kodierungsbuch gegriffen hatte. „Bis zum Einbruch der Dunkelheit bleiben uns nur noch wenige Stunden. Wir nehmen die Kamera einfach mit und sehen sie uns später genauer an." Eine halbe Meile später bemerkte Biggles plötzlich, dass sein Kompass aus seiner Jackentasche verschwunden war. Er musste herausgefallen sein, als er über die Kamera gestolpert war.

Wenn du bereits einen KOMPASS in deiner FLUGZEUG-KARTE hast, dann musst du ihn jetzt leider wieder abgeben.
Weiter geht's bei 50

10

„Potzblitz!", rief Henry, nachdem er die Symbole auf dem Zigaretten-Etui entschlüsselt hatte. DIE DRITTE ZIGARETTE VON LINKS ENTHÄLT EIN TÖDLICHES GIFT! Das nenne ich eine nette Botschaft. Unser gemeinsamer Freund Wolff scheint ein echter Fiesling gewesen zu sein. Vermutlich hätte er die Zigarette jedem angeboten, der ihn verhaften wollte!" Henry warf die lebensgefährliche Zigarette aus seinem Fenster, als Fred plötzlich einen aufgeregten Schrei ausstieß. „Da unten ist das Wrack!", rief er.

Weiter geht's bei 186

Weiter geht's bei 186

11

Henry erreichte die Hütte als Erster. Er war felsenfest davon überzeugt, dass sie darin einen entscheidenden Hinweis finden würden. Erwartungsvoll musterte er die Hütte aus geflochtenen Palm- und Zuckerrohrblättern. Die windschiefe Konstruktion sah aus, als könne sie jeden Moment zusammenbrechen. Als sich seine Augen an das Dämmerlicht im Innern der Hütte gewöhnt hatten, schweifte sein Blick suchend über den Lehmboden. Vielleicht hatte Wolff hier ja irgendetwas verloren?

„Seht mal, was ich gefunden habe, Freunde!", rief er triumphierend, sobald seine Kollegen zu ihm getreten waren.

„Das hier ist ein Stück einer Verpackung für Filme. Und hier auf der Außenseite befinden sich mehrere Symbole. Mal sehen, was Wolffs Kodierungsbuch dazu sagt."

Mit Hilfe der KODIERUNGS-KARTE kannst du die Symbole entschlüsseln und erfährst, wo du weiterlesen musst. Wenn du keine KODIERUNGS-KARTE in deiner FLUGZEUG-KARTE hast, geht's bei Abschnitt 126 weiter.

12

„Da unten ist der Hafen", rief Henry, nachdem sie an der Ostküste der Insel entlanggeflogen waren. „Er scheint mir zwar ziemlich verlottert zu sein, doch zum Landen müsste er allemal noch taugen. Zumindest brauchen wir uns dort keine Sorgen über verborgene Felsen im Wasser oder die Wassertiefe zu machen." Biggles nickte und drückte den Steuerknüppel nach vorn, bis die Maschine die Wasseroberfläche des Hafenbeckens streifte. Behutsam steuerte er das Flugzeug auf die wackligen Holzstege zu und machte den Motor aus.

Weiter geht's bei 100

Nachdem er das Flugzeug fünfzehn Minuten lang in engen Schleifen und heftigem Zickzack durch die Gegend geflogen hatte, gönnte Biggles der Maschine wieder etwas Ruhe. „Also, ich kann nichts hören!", erklärte er und lauschte angestrengt durch das geöffnete Fenster. „Entweder war das Flugzeug völlig harmlos oder es hat gemerkt, dass wir es testen, und sich zurückgehalten. Hoffen wir, es war das Erstere." Als Biggles erneut zur Küste von Flamingo Island zurückflog, warf er einen prüfenden Blick auf die Benzinuhr. Der Treibstoffvorrat war stark gesunken!

Drehe die Nadel auf deiner BENZINUHR um ein Farbfeld im Uhrzeigersinn weiter.
Weiter geht's bei 228

„Er ist tatsächlich nicht echt!", nickte Henry, als er den Flamingo erreichte und ihm einen freundschaftlichen Klaps versetzte. „Hört nur. Er ist hohl. Unser Freund Wolff scheint ja durchaus Sinn für Humor gehabt zu haben. Bestimmt hat *er* ihn hierher gestellt." Seine Annahme schien sich zu bestätigen, als Fred eine Nachricht auf der Unterseite des falschen Vogels entdeckte. Dort stand: GEHE SIEBZIG SCHRITTE NACH SÜDEN. Neugierig zog er seinen Kompass aus der Tasche.

Lege deinen KOMPASS mit dem Zeiger auf Norden auf die vorgezeichnete Schablone, um Süden zu bestimmen. Weiter geht's bei der Ziffer, die im Fenster erscheint. Wenn du keinen KOMPASS in deiner FLUGZEUG-KARTE hast, musst du raten, bei welchem der angegebenen Abschnitte es weitergeht.

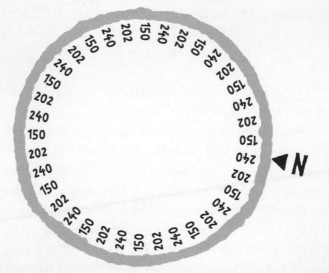

15

„Die Insel liegt nordwestlich von uns", erklärte Fred mit Blick auf seinen Kompass. Sie hatten gut daran getan, die Lage der Insel zu bestimmen, denn schon wenige Minuten später verschwand die violette Silhouette wieder im Dunstschleier.

„Nordwesten hast du gesagt, nicht wahr?", versicherte sich Biggles, ehe er das linke Ruderpedal drückte, um die Flugrichtung zu korrigieren. „Bin mal gespannt, wann die Insel wieder auftaucht." Die Antwort lautete zehn Minuten – und dieses Mal war Flamingo Island ein gutes Stück größer! Noch einige Meilen und sie waren endlich am Ziel ihrer Reise …

Weiter geht's bei 256

16

Henry blickte enttäuscht von dem Kodierungsbuch auf. Zu früh gefreut! Jetzt, da die Boje nicht mehr so heftig auf dem Wasser tanzte, entpuppten sich die „Geheimzeichen" als ganz gewöhnliche Kratzer. Und das war noch nicht alles: Das ruhigere Wasser gab den Blick auf den Meeresboden unter der Boje frei. Dort lag eine große Betonplatte – von wegen Pläne in einer Flasche!

„Wusst ich doch, dass es zu einfach gewesen wäre, die Pläne

so schnell zu finden", murmelte Henry verzagt, als die Auster wieder zum Himmel aufstieg.

Weiter geht's bei 45

„Eine Schwimmweste habe ich zwar nicht gesehen", sagte Henry nachdenklich, als sie den Küstenstreifen überflogen, „aber dafür *etwas anderes*! Seht ihr die Admiralsstatue da unten? Seltsamerweise zeigt sein Fernrohr nicht zum Meer hinaus, so wie es auf der Karte eingezeichnet ist, sondern Richtung Inland!" Seine Kollegen nickten. Das war wirklich merkwürdig. Aber was hatte das mit Wolff zu tun? „Vielleicht hat *er* ihn ja umgedreht!", erklärte Henry. „Damit man weiß, in welcher Richtung man die Insel überfliegen muss, um zu den Plänen zu gelangen. Moment, ich werfe mal einen Blick auf meinen Kompass."

Lege deinen KOMPASS mit dem Zeiger auf Norden auf die vorgezeichnete Schablone, um die Richtung zu bestimmen, in die die Statue zeigt.
Weiter geht's bei der Ziffer, die im Fenster erscheint. Wenn du keinen KOMPASS in deiner FLUGZEUG-KARTE hast, musst du raten, bei welchem Abschnitt es weitergeht.

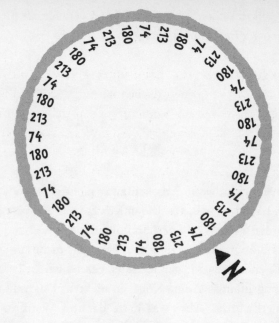

Auf Freds Landkarte war nicht nur die Position der Statue eingetragen, sondern auch eine Erklärung, wen sie darstellte. Nämlich einen gewissen Sir James Wetherby, den ersten Gouverneur der Insel. Als Fred die Karte wieder zusammenfaltete, rutschte plötzlich ein Fernglas unter seinem Sitz hervor. Da es keinem von ihnen gehörte, nahm er an, dass es wohl von einem früheren Passagier stammen musste.

Wenn du noch kein FERNGLAS in deiner FLUGZEUG-KARTE hast, dann kannst du es dir jetzt holen.
Weiter geht's bei 173

19

„Tja, so wie's aussieht, hatte unser Freund Wolff doch nichts mit diesen Geheimzeichen zu tun", seufzte Biggles, nachdem er in seinem Kodierungsbuch geblättert hatte. „Zumindest taucht kein einziges dieser Symbole in seinem Kodierungsbuch auf. Entweder hat er einen Kode benutzt, den wir nicht kennen oder – und das halte ich für wahrscheinlicher – die Zeichen stammen gar nicht von ihm." Nichtsdestotrotz suchten die drei Männer den Berggipfel nach weiteren Spuren ab. Man konnte nie wissen.

„Nichts, aber auch rein gar nichts!", brummte Henry schließlich eine halbe Stunde später. „Los kommt, lasst uns den Abstieg antreten."

Weiter geht's bei 263

20

„Sprechen Sie Englisch?", fragte Biggles den alten Mann freundlich, als sie vorsichtig in seine Hütte traten. „Wir wollten wissen, ob Sie hier in der Gegend jemals einen Mann mit einer runden Brille und einem blonden Schnurrbart gesehen haben?" Der Mann paffte eine Weile lang wortlos weiter. Dann erhob er sich langsam und verließ die Hütte. Mit zitternden Fingern deutete er in die Ferne.

„Ob er damit meint, dass Wolff damals in dieser Richtung

25

das Dorf durchquert hat?", fragte Biggles stirnrunzelnd. „Ich werde die Richtung auf jeden Fall auf meinem Kompass überprüfen."

Lege deinen KOMPASS mit dem Zeiger auf Norden auf die vorgezeichnete Schablone, um die Richtung zu bestimmen.
Weiter geht's bei der Ziffer, die im Fenster erscheint. Wenn du keinen KOMPASS in deiner FLUGZEUG-KARTE hast, musst du raten, bei welchem der angegebenen Abschnitte es weitergeht.

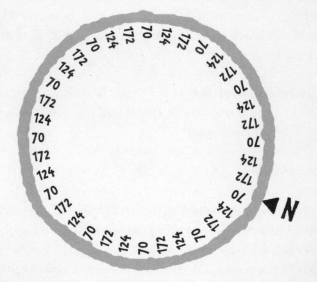

21

Auf Freds Landkarte waren die Felsen ganz im Nordwesten der Insel eingezeichnet.

„Das heißt also, dass wir die Insel komplett überquert haben", erklärte er. „Von einem Ende zum andern!" Biggles drehte die Auster gen Osten und beschloss, nun die andere Diagonale in Angriff zu nehmen.

Weiter geht's bei 71

22

Kurze Zeit später kreiste die Auster über dem Sumpfgebiet und Biggles fragte sich, ob es wohl tief genug war, um darin zu landen.

„An deiner Stelle würde ich es lieber nicht riskieren", meinte Henry. „Sieh doch nur, selbst mitten drin wächst noch Schilf. So tief kann es also nicht sein." Glücklicherweise lag das Sumpfgebiet in unmittelbarer Nähe des einzigen Flusses der Insel und Biggles beschloss, lieber dort sein Glück zu versuchen.

„Besser wir folgen dem Fluss, bis er ein bisschen breiter wird", sagte er und drehte die Maschine Richtung Meer. „Ich will kein unnötiges Risiko eingehen!"

27

Weiter geht's bei 41

„Aha, also Richtung Nordwesten", sagte Biggles zu dem Jungen, der gebannt beobachtete, wie die Nadel auf dem Kompass in Biggles Hand zitternd zum Stillstand kam. „Jetzt müssten wir das Wrack eigentlich problemlos finden. Nochmals vielen Dank für deine Hilfe!" Als Biggles durch das schlammige Wasser zur Maschine zurückwatete, blieb er mit dem rechten Fuß an etwas hängen. Er griff ins Wasser und fischte eine Lederschlinge heraus, an der ein kleines Kästchen befestigt war. In dem Behälter befand sich ein erstaunlich trockenes Fernglas. Biggles fragte sich, ob es wohl Wolff gehört hatte.

Wenn du noch kein FERNGLAS in deiner FLUGZEUG-KARTE hast, dann kannst du es dir jetzt holen.
Weiter geht's bei 221

Henry nahm gerade sein Fernglas aus der Hülle, als Fred den Wasserfall entdeckte. Inmitten des dichten Blätterwaldes war so gut wie nichts von ihm zu sehen – dafür schwebte eine umso gewaltigere Gischtwolke in der Luft. Demnach musste es sich um einen recht stattlichen Wasserfall handeln.

Als Biggles die Auster in Richtung Wasserfall lenkte, warf

er einen kurzen Blick aufs Armaturenbrett, um den Treibstoff zu überprüfen. Sie hatten bereits mehr verbraucht, als er gedacht hatte.

Drehe die Nadel auf deiner BENZINUHR um ein Farbfeld im Uhrzeigersinn weiter. (Vergiss nicht: Wenn die Nadel das GEFAHR-Feld auf deiner BENZINUHR erreicht, dann musst du das Spiel sofort beenden und noch einmal von vorn beginnen.)
Weiter geht's bei 153

25

Sobald Fred mit dem Kompass Südosten bestimmt hatte, gingen sie los und fragten sich, wie lange sie wohl in diese Richtung gehen mussten. Sie umgingen das Sumpfgebiet und steuerten nach einer Weile direkt auf einen Flamingo zu, der mutterseelenallein zwischen den Schilfhalmen stand. Sie waren sich sicher, dass er jeden Moment erschrocken davonfliegen würde, doch der rosafarbene Vogel schien sich durch nichts aus der Ruhe bringen zu lassen. Henry wusste plötzlich auch warum.

„Potzblitz, das ist überhaupt kein Flamingo!", rief er. „Das heißt, zumindest kein echter. Das ist bloß ein Plastikmodell!"

29

Weiter geht's bei 14

„Das tut mir sehr Leid. Wir wollten Ihre Flamingos nicht erschrecken", entschuldigte sich Biggles. „Wissen Sie, wir haben hier etwas sehr Wichtiges zu erledigen. Bitte erzählen Sie uns doch mehr über diesen anderen Mann." Die Frau blickte sie immer noch misstrauisch an, doch schließlich schien sie Vertrauen zu Biggles zu fassen.

„Der Mann hat hier ein paar Fotos gemacht", erklärte sie. „Aber ich habe sofort erkannt, dass er kein echter Vogelliebhaber war. Ich hatte das Gefühl, dass er nichts Gutes im Schilde führte … also bin ich ihm heimlich gefolgt. Er ist viele Meilen bis zu einem großen Wasserfall gegangen. Dann hat er etwas dahinter versteckt." Die drei Männer öffneten gleichzeitig den Mund. Allen drei lag eine Frage auf den Lippen. Fragte sich, wer der Schnellste von ihnen war?

Mit dem PERSONENWÜRFEL bestimmst du, wer die Frage als Erster stellt.

BIGGLES   weiter geht's bei 175
HENRY   weiter geht's bei 247
FRED   weiter geht's bei 134

Beim zehnten Schritt Richtung Osten, seitlich des Wasserfalls, zerschellte die Felsenfläche unmittelbar über Biggles'
Kopf plötzlich in kleine Stücke.

„Was zum Teufel …", setzte er an, als der Felsen erneut und
dann noch ein drittes Mal splitterte. Jemand schoss auf sie!

„Der Schütze muss sich irgendwo zwischen den Bäumen
verschanzt haben", rief Biggles atemlos, während sie erschrocken davonrannten. „Wenn ihr mich fragt, haben wir
es mit mindestens drei Personen zu tun!" Zuerst hofften sie
noch, die unbekannten Schützen abzuhängen, um später
zum Wasserfall zurückkehren zu können, doch sie wurden
gnadenlos zu ihrem Flugzeug zurückgejagt. „Wir müssen
erst mal weg hier und die Pläne wohl oder übel hier lassen!", erklärte Biggles zähneknirschend, während sie sich
ins Flugzeug schwangen. „Wir kommen erst wieder hierher
zurück, wenn wir uns Waffen besorgt haben!"

*Leider konntest du den Fall nicht lösen. Wenn du es noch
einmal versuchen willst, musst du wieder ganz von vorn
beginnen. Wie wär's, wenn du dieses Mal mit einer anderen AUSRÜSTUNGS-KARTE startest? Dann hast du vielleicht mehr Glück!*

28

„Ah, jetzt verstehe ich auch, warum du es so eilig hattest!“, meinte Henry schmunzelnd, als er auf den Jungen hinunterblickte. Sein Hemd war von oben bis unten mit einer hellgelben Masse verschmiert. „Du hast Flamingo-Eier gestohlen!“ Er half dem Jungen auf die Beine. „Ich verspreche dir, dass wir niemandem etwas davon verraten“, sagte er augenzwinkernd, „wenn du uns dafür eine sehr wichtige Auskunft gibst. Alles, was ich von dir wissen will, ist, ob du jemals einen Mann gesehen hast, der hier im Sumpf vor einiger Zeit Fotos gemacht hat?“ Der Junge schwieg einen Moment, doch dann, gerade als auch Biggles und Fred zu ihnen traten, nickte er langsam.

„Ja“, sagte er. „Er war ein Europäer, so wie Sie auch!“

Weiter geht's bei 154

29

„Es mag vielleicht wie Wunschdenken klingen, Freunde“, meinte Henry wenig später, „aber ich glaube, ich habe *tatsächlich* etwas gefunden! Seht euch mal diese Felsbrocken am Strand an. Entweder spielt meine Fantasie verrückt oder die Steine bilden tatsächlich einen Pfeil!“ Biggles und Fred folgten Henrys Blick und nickten nachdenklich. Die Anordnung der Steine glich wirklich einem Pfeil!

War es möglich, dass Wolff diese Steine ausgelegt hatte, um die Flugrichtung zu den versteckten Plänen zu markieren? Aufgeregt durchwühlte Fred seine Taschen nach seinem Kompass.

Lege deinen KOMPASS mit dem Zeiger auf Norden auf die vorgezeichnete Schablone, um die Pfeilrichtung zu bestimmen.

Weiter geht's bei der Ziffer, die im Fenster erscheint. Wenn du keinen KOMPASS in deiner FLUGZEUG-KARTE hast, musst du raten, bei welchem Abschnitt es weitergeht.

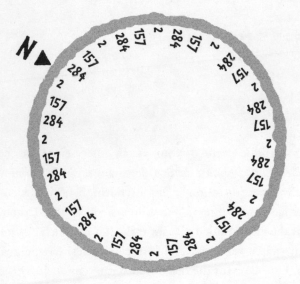

Laut Henrys Karte befand sich die Bucht mit den Sanddünen an der Ostküste der Insel.

„Und wie sieht es hier mit Landemöglichkeiten aus, mein
Freund?", erkundigte er sich, als er die Karte wieder zusammenfaltete. „Willst du's riskieren?" Biggles warf noch
einmal einen prüfenden Blick auf die glitzernde Wasseroberfläche. Irgendwelche trügerischen grünen Stellen in
Sicht? Nein, keine einzige. Er nickte und setzte zur Landung an.

Weiter geht's bei 190

Als Fred endlich seinen Kompass in einer seiner Taschen
gefunden hatte, blickte er aus dem Flugzeug. Beklommen
betrachtete er das immer undurchdringlicher werdende
Blätterdach unter ihnen. Wie sollten sie in diesem Dschun-
gel nur die Pläne finden? Das war doch unmöglich! Wenige
Meilen später verdüsterte sich auch Biggles' Miene zuse-
hends. Ein Blick auf die Benzinuhr hatte seine Befürchtung
bestätigt: Der Treibstoffvorrat war schon gesunken. Wenn
es so weiterging, würden sie die Insel nicht einmal komplett
absuchen können.

Drehe die Nadel auf deiner BENZINUHR um ein Farbfeld
im Uhrzeigersinn weiter.
Weiter geht's bei 173

32

„Der Pfeil zeigt Richtung Nordwesten", erklärte Fred mit
Blick auf seinen Kompass. „Dann nichts wie los!", fügte er
begeistert hinzu. „Jetzt sind wir ihm auf der Spur!" Während die Auster über die Insellandschaft – einem gleichförmigen sattgrünen Pflanzenteppich – hinwegflog, fiel Henrys Blick auf ein gefaltetes Blatt Papier zu seinen Füßen.
„Ich glaub, mich tritt ein Pferd!", rief er, als er das Papier
entfaltete. „Eine Kopie aus Wolffs Kodierungsbuch! Wie
zum Kuckuck ist die denn hierher gekommen?" Dafür kam
eigentlich nur eine Möglichkeit in Frage. Jemand musste im
Flugzeug herumgeschnüffelt haben, ehe sie Jamaika verlassen hatten, und dabei die Kopie verloren haben. Doch wer
hatte noch ein Exemplar von Wolffs Kodierungsbuch besessen?

Wenn du noch keine KODIERUNGS-KARTE in deiner
FLUGZEUG-KARTE hast, dann kannst du sie dir jetzt
holen.
Weiter geht's bei 269

„Allem Anschein nach wohnt hier keiner mehr", bemerkte Henry, als die drei Männer auf das Dorf zusteuerten. „Hier ist weit und breit keine Menschenseele!" Ein kurzer Streifzug um die Bambushütten mit den Strohdächern bestätigte Henrys Vermutung. Offenbar war das Dorf schon seit sehr langer Zeit unbewohnt. Als sie niedergeschlagen zu ihrem Flugzeug zurückkehrten, beschloss Biggles, einen Blick auf seine Karte zu werfen. Dann wussten sie wenigstens, wo sie sich im Moment befanden.

Suche auf deiner LANDKARTE, in welchem Planquadrat das Dorf liegt, und folge der Anweisung. Wenn du keine LANDKARTE in deiner FLUGZEUG-KARTE hast, musst du raten, bei welchem Abschnitt es weitergeht.

Bei B1   weiter geht's bei 193
Bei B2   weiter geht's bei 106
Bei C1   weiter geht's bei 58

Während Henry panisch mit dem Fernglas herumhantierte, bedeutete ihm Biggles augenzwinkernd, einen Blick nach links zu werfen.

„Ach du meine Güte, da sind ja *zwei* Seen!", rief Henry

sichtlich verlegen. „Und unser Flugzeug liegt am Ende des anderen Sees!" Knapp eine Stunde später standen sie wieder vor ihrem Flugzeug. Während Biggles den Motor laufen ließ und alles startklar machte, warf er einen kurzen Blick auf die Benzinuhr. Ihnen blieb weniger Treibstoff, als er erwartet hatte!

Drehe die Nadel auf deiner BENZINUHR um ein Farbfeld im Uhrzeigersinn weiter.
Weiter geht's bei 162

35

„DIES – IST – DAS – EIGENTUM – VON – WERNER – WOLFF ", las Biggles langsam mit dem Kodierungsbuch auf den Knien vor. Er lächelte belustigt. Wolff schien seine Geheimniskrämerei zweifellos genossen zu haben! Auf dem Rückweg zum Flugzeug fand Fred noch einen zweiten Hinweis, dass Wolff an dieser Stelle gewesen sein musste. Im Gras funkelte ein kleiner Kompass. Und auf seiner Rückseite waren die Initialen W.W. eingeritzt!

Wenn du noch keinen KOMPASS in deiner FLUGZEUG-KARTE hast, dann kannst du ihn dir jetzt holen.
Weiter geht's bei 71

37

„Wenn das Sumpfgebiet nicht allzu klein ist", sagte Fred, nachdem er einen Moment lang nachdenklich vor sich hingestarrt hatte, „dann ist es bestimmt auf der Karte eingetragen. Am besten werfe ich einfach mal einen Blick darauf." Er griff in seine Innentasche, um die Landkarte herauszuholen.

Suche auf deiner LANDKARTE, in welchem Planquadrat das Sumpfgebiet mit den Flamingos liegt, und folge der Anweisung. Wenn du keine LANDKARTE in deiner FLUGZEUG-KARTE hast, musst du raten, bei welchem Abschnitt es weitergeht.

Bei B3   weiter geht's bei 219
Bei D3   weiter geht's bei 155
Bei C3   weiter geht's bei 49

Mit gerunzelter Stirn beugte sich Fred über seine Landkarte. Das Sumpfgebiet erstreckte sich über rund vier Quadratmeilen. Die Suche nach einer Spur würde also eine ganze Weile in Anspruch nehmen. Während er die Karte wieder zusammenfaltete, setzte die Auster auf der Wasseroberfläche des Flusses auf. Die Maschine kam nur wenige Me-

38

ter von der von Fred vorgeschlagenen Stelle genau parallel zu der Palmengruppe zum Stehen. Biggles hatte mal wieder eine perfekte Landung hingelegt!

Weiter geht's bei 164

Henry war gerade im Begriff, in Wolffs Kodierungsbuch nach den Symbolen zu suchen, als Fred das Schiffswrack entdeckte. Es lag ungefähr eine Meile vor ihnen, wenige hundert Meter von der Küste entfernt.

„Na, dann wollen wir mal hoffen, dass wir endlich am Ende unserer Suche angelangt sind", meinte Biggles mit Blick auf die Benzinuhr. „Wir haben nämlich nicht mehr besonders viel Treibstoff im Tank!"

Drehe die Nadel auf deiner BENZINUHR um ein Farbfeld im Uhrzeigersinn weiter. (Vergiss nicht: Wenn die Nadel das GEFAHR-Feld auf deiner BENZINUHR erreicht, musst du das Spiel sofort beenden und wieder von vorne beginnen.)
Weiter geht's bei 186

Fred erreichte die Hütte als Erster, seine Kollegen folgten kurz hinter ihm.

„Sieht aus, als würde sie jeden Moment zusammenbrechen!", stellte Biggles fest, als er mit Henry die wacklige Konstruktion aus geflochtenen Palmblättern betrat. „Hast du schon irgendwas Interessantes gefunden, Fred?" Hatte er *tatsächlich*! Triumphierend hob er ein vergilbtes Stück Papier hoch, das an eine Bambussprosse der Hütte gepinnt gewesen war.

„Hört euch das hier mal an: GEHE VON HIER AUS RICHTUNG SÜDOSTEN", las Fred vor und zog hastig den Kompass aus der Tasche.

Lege deinen KOMPASS mit dem Zeiger auf Norden auf die vorgezeichnete Schablone, um Südosten zu bestimmen. Weiter geht's bei der Ziffer, die im Fenster erscheint. Wenn du keinen KOMPASS in deiner FLUGZEUG-KARTE hast, musst du raten, bei welchem Abschnitt es weitergeht.

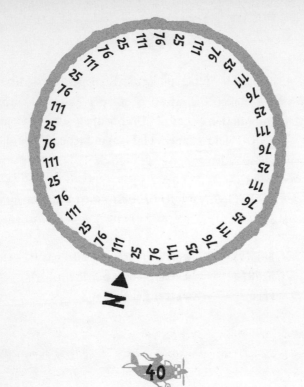

40

Während Fred die Karte aufklappte, warf Biggles einen eingehenden Blick auf das große Gebäude und fragte sich, wofür es früher wohl benutzt worden war. Auf der Vorderseite des Hauses entdeckte er eine große Fahnenstange. Daraus schloss er, dass es sich um eine Art Regierungsgebäude – vielleicht noch aus der Kolonialzeit – gehandelt hatte.

Weiter geht's bei 272

„Okay, hier ist der Fluss mehr als breit genug", erklärte Biggles zwei Meilen flussabwärts, als der Fluss allmählich ins Meer zu münden begann. „Und Schlick scheint es hier auch nicht allzu viel zu geben. Hat jemand einen Vorschlag, wo genau wir landen sollen?"

Mit dem PERSONENWÜRFEL bestimmst du, wer einen Vorschlag macht.

BIGGLES	weiter geht's bei 60
HENRY	weiter geht's bei 184
FRED	weiter geht's bei 8

„Hier steht: DIE PLÄNE SIND IN DER GALLIONS-FIGUR VERSTECKT!", rief Henry aufgeregt.
Hastig gingen sie an die Spitze des Schiffes und Henry streckte den Arm unter den Bug.
„Fühlt sich an wie der Kopf einer Meerjungfrau", sagte er, während seine Finger über die Holzfigur tasteten. „Na, was hat denn unsere Lady hier in ihrem Mund versteckt? Wenn das keine Plastikröhre ist."
Mit einem Ruck zog er den Gegenstand hervor und stellte triumphierend fest, dass er richtig geraten hatte. Es war

tatsächlich eine Plastikröhre ... und darin lagen sauber zu-
sammengerollt die Pläne!

„Gut gemacht, Kollegen!", rief Biggles stolz.

*Und das Gleiche gilt auch für DICH. Du hast den Fall er-
folgreich gelöst!*

„Tut mir Leid, Henry. Sieht so aus, als sähen jetzt schon
zwei Besatzungsmitglieder Gespenster!", wandte sich Biggles an seinen Kollegen, ehe dieser durch sein Fernglas ge-
blickt hatte. „Jetzt kann ich die Insel auch sehen." Henry
ließ sein Fernglas sinken und öffnete das Fenster. Mit zusammengekniffenen Augen starrte er zum Horizont.

„Potzblitz, ihr habt Recht!", rief er, während er seine Augen
mit der Landkarte gegen das grelle Licht abschirmte. „Da
vorne ist *tatsächlich* Land. Es sei denn, wir sind alle drei
Opfer einer Fata Morgana!" Henry wollte die Karte gerade
wieder in seiner Jackentasche verstauen, als das Flugzeug
von einem Windstoß erfasst wurde. Durch den plötzlichen
Ruck glitt Henry die Karte aus den Fingern. Entsetzt
blickte er der Karte hinterher, die in die Tiefe flatterte.

*Wenn du die LANDKARTE bereits in deiner FLUGZEUG-
KARTE hast, dann musst du sie jetzt leider wieder abgeben.*

Weiter geht's bei 115

Als Henry in seiner Innentasche nach seiner Landkarte griff, fiel sein Blick auf ein paar grünliche Stellen in der Bucht, denen sie sich mit großer Geschwindigkeit näherten. „Achtung! Da sind Korallenriffe!", rief er Biggles warnend zu. „Die scheinen mir verflixt nah an der Oberfläche zu sein. Wenn wir nicht aufpassen, werden sie uns glatt die Kufen aufschlitzen!"

Doch Biggles blieb gelassen und fand einen tiefblauen Kanal zwischen den grünen Flächen. Das Flugzeug kam unbeschadet zum Stehen.

„Das war ganz schön knapp!", seufzte Henry, während das Flugzeug in den Wellen sanft auf und ab schaukelte.

Weiter geht's bei 201

Die Maschine näherte sich nun Flamingo Island selbst. Als Fred einen letzten Blick auf die kleine, flaschenförmige Insel warf, entdeckte er plötzlich einen weißen Streifen im grünblauen Wasser einer Bucht. Was konnte das nur sein? Spontan hätte er auf ein Motorboot getippt – alles andere kam bei der offensichtlichen Geschwindigkeit des Dings kaum in Frage – doch wie konnte das sein? Es war in der unmittelbaren Nähe der Boje und dann hätten sie es ja mit

Sicherheit hören oder sehen müssen. Aber *was* war es dann? Hastig griff er zu seinem Fernglas!

Lege dein FERNGLAS auf die vorgezeichnete Schablone, um einen genaueren Blick auf die Bucht zu werfen, und folge der Anweisung. Wenn du kein FERNGLAS in deiner FLUGZEUG-KARTE hast, geht's stattdessen bei 79 weiter.

GDEHKEOZÜU R
WC EFILONST SNO
VCDEFIEUY THR
BEDIFKNOSX HPN

46

Sie wollten gerade die Zeichen auf der Hüttentür entschlüsseln, als Biggles glaubte, das Geräusch eines startenden Flugzeugs zu hören. *Ihres Flugzeugs!*

„Das war hundertprozentig die Auster!", rief er und rannte augenblicklich zu ihrem Landeplatz zurück. „Schnell, jemand haut mit unserer Maschine ab!" Als sie keuchend an der Lagune ankamen, schaukelte die Auster friedlich an der

Stelle, wo sie sie zurückgelassen hatten. „Tut mir Leid, Jungs. Meine Fantasie scheint mir einen Streich gespielt zu haben", murmelte Biggles, während sie langsam zum Dorf zurückwanderten.

Weiter geht's bei 225

„Wir müssen uns rechts halten", erklärte Biggles, nachdem er ihre Position auf dem Kompass überprüft hatte. Zwanzig Minuten später standen sie tatsächlich wieder vor ihrem Flugzeug. Sie wollten gerade hineinklettern, als Henrys Blick auf ein Blatt Papier fiel, das im seichten Wasser schwamm.

„Sieh mal einer an. Noch eine Kopie von Wolffs Kodierungsbuch!", erklärte er mit hochgezogenen Augenbrauen. „Das lässt vermuten, dass außer uns noch jemand von den Plänen weiß – und dieser Jemand scheint bei unserem Flugzeug herumgeschnüffelt zu haben!"

Wenn du noch keine KODIERUNGS-KARTE in deiner FLUGZEUG-KARTE hast, dann kannst du sie dir jetzt holen.

Weiter geht's bei 162

48

Sie flogen nun schon seit einer Stunde kreuz und quer über die Insel, ohne dass irgendeiner von ihnen auch nur den geringsten Hinweis entdeckt hatte. Als sie einen kleinen See überflogen, fiel Freds Blick auf einen roten Gegenstand am Ufer.

„Es ist ein Rucksack!", rief er, als Biggles tiefer gegangen war, damit sie einen genaueren Blick darauf werfen konnten. „Vielleicht ist er Wolff auf seinem Marsch zu schwer geworden und er hat ihn dort zurückgelassen."

Da der See ausreichend tief zu sein schien, beschloss Biggles zu landen ...

Weiter geht's bei 282

49

„Das Sumpfgebiet ist tatsächlich auf der Karte eingezeichnet", erklärte Fred. „Es befindet sich rund zehn Meilen südlich der Inselmitte."

Fünfzehn Minuten später kreiste die Auster über der Sumpflandschaft. Biggles war sich nicht sicher, ob die Wassertiefe zum Landen ausreichte.

„Ich denke, das Wasser ist tief genug, mein Freund", meinte Henry zuversichtlich. „Sieh doch nur, selbst die Flamingos ganz am Rand des Sumpfes stehen bis zum Knie im

47

Wasser!" Biggles nickte und drückte den Steuerknüppel nach vorn ...

Weiter geht's bei 94

Als die drei das Sumpfgebiet erreichten, machten sie lange Gesichter. Das Gebiet war riesengroß! Wie in aller Welt sollten sie hier etwas finden?

„Wenn nur Wolffs Foto irgendeinen Hinweis enthielte, an welcher Stelle er es gemacht hat", seufzte Fred. „Irgendetwas Charakteristisches im Hintergrund. Aber wie soll das auch gehen? Hier gibt es ja nichts Charakteristisches. Nur Tausende von Flamingos. Kein Baum oder Gebäude weit und breit!"

Oder doch? Denn Biggles glaubte plötzlich, am Ende des Sumpfgebietes eine Art Hütte auszumachen ...

Weiter geht's bei 156

„Lass dein Fernglas ruhig stecken, mein Freund!", sagte Henry zu Fred. „Ich kenne eine viel einfachere Möglichkeit, wie man herausfinden kann, ob der Flamingo echt ist oder nicht. Pass auf!" Er steckte den Kopf aus dem Fenster und stimmte ein kurzes Kriegsgeheul an. Erschrocken stoben die Vögel in die Luft. Das heißt, alle bis auf den einen, den Fred im Verdacht gehabt hatte. Der rührte sich nicht vom Fleck. Diesen verrückten Vogel mussten sie sich unbedingt genauer ansehen ...

Weiter geht's bei 14

52

Als Fred in seine Innentasche nach der Karte griff, stellte er bestürzt fest, dass sein Kompass weg war. Er durchsuchte sämtliche Taschen, aber ohne Erfolg. Das verflixte Ding musste ihm herausgefallen sein, als er am Strand entlanggelaufen war. Da war wohl nichts zu machen, der war weg! Achselzuckend wandte er sich wieder der Landkarte zu.

Wenn du bereits einen KOMPASS in deiner FLUGZEUG-KARTE hast, dann musst du ihn jetzt leider wieder abgeben.
Weiter geht's bei 136

„Da ist sie ja!", rief Henry und zeigte nach rechts. „Seht ihr sie? Wenn man genau hinsieht, kann man ihre hügeligen Konturen ganz schwach im Dunstschleier erkennen!"
Biggles und Fred spähten mit zusammengekniffenen Augen zum Horizont. Jetzt sahen sie die Insel, wenn auch nur vage. Es sah aus, als könnte sie jeden Moment wieder verschwinden. Nur für den Fall, dass sie das tatsächlich tat, bat Biggles Fred, die Lage der Insel auf dem Kompass zu überprüfen. Dann konnte sie von ihm aus auch wieder von der Bildfläche verschwinden!

Lege deinen KOMPASS mit dem Zeiger auf Norden auf die vorgezeichnete Schablone, um die Position der Insel zu bestimmen.
Weiter geht's bei der Ziffer, die im Fenster erscheint. (Vergiss nicht, den KOMPASS hinterher wieder in deine FLUGZEUG-KARTE zurückzulegen.) Wenn du keinen KOMPASS in deiner FLUGZEUG-KARTE hast, musst du raten, bei welchem der angegebenen Abschnitte es weitergeht.

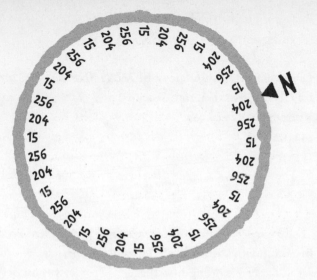

54

Während Fred und Henry nach ihren Ferngläsern griffen, lachte Biggles plötzlich laut auf.

„Spart euch die Mühe, Jungs!", erklärte er. „Selbst *wenn* es ein Ruderboot ist, ist die Vorstellung, dass Wolff damit auf die Insel gekommen sein soll, einfach lächerlich! Es wäre eine verdammt lange Bootspartie von Jamaika bis hierher gewesen. Und selbst wenn er das geschafft hätte … dann würde es jetzt bestimmt nicht mehr *hier* liegen. Wie hätte er sonst wieder von von Flamingo Island wegkommen sollen?"

Biggles lenkte das Flugzeug landeinwärts und warf einen

Blick auf die Benzinuhr. Der Zeiger war schon um ein Viertel gesunken!

Drehe die Nadel auf deiner BENZINUHR um ein Farbfeld im Uhrzeigersinn weiter.
Weiter geht's bei 158

55

„Die Palme zeigt nach Nordwesten", verkündete Fred mit Blick auf seinen Kompass. „Ich schlage vor, dass wir die Insel in dieser Richtung überfliegen. Irgendetwas an der Art, wie die Palme daliegt, kommt mir spanisch vor!"
Biggles war sich da weniger sicher – für seine Begriffe sah die Palme eher wie das Opfer eines ganz gewöhnlichen Sturms aus – doch er befolgte Freds Rat, ohne etwas einzuwenden, und drehte nach links ab. Sie konnten ebenso gut in diese Richtung fliegen wie in irgendeine andere!

Weiter geht's bei 205

56

Biggles erklärte Fred, er könne sich die Mühe mit der Karte sparen.
„Siehst du die Flussmündung ungefähr vier Meilen links

von uns?", fragte er. „Mir ist gerade eingefallen, dass ich sie auf einer der großen Landkarten von Jamaika gesehen habe. Der Fluss heißt Blue River und ist der einzige Fluss auf der Insel. Jedenfalls mündet er auf der Südseite der Insel ins Meer – mit anderen Worten: Wir befinden uns im Südosten der Insel."

Weiter geht's bei 173

57

„Seht nur, da unten auf der linken Seite ist so eine Art Lagune", rief Biggles kurze Zeit später. „Von dort ist es nur noch ein kurzer Fußmarsch bis zum Dorf. Die Frage ist nur, ob das Wasser auch tief genug ist. Schließlich wollen wir nicht im Schlamm versinken!" Während Biggles tiefer ging, um einen genaueren Blick auf die Lage zu werfen, erinnerte sich Fred plötzlich an seine Karte. Vielleicht war darauf ja die Wassertiefe eingetragen!

Suche auf deiner LANDKARTE, in welchem Planquadrat die Lagune liegt, und folge der Anweisung. Wenn du keine LANDKARTE in deiner FLUGZEUG-KARTE hast, musst du raten, bei welchem Abschnitt es weitergeht.

Bei D2   weiter geht's bei 217

Bei C2   weiter geht's bei 6

Bei B1   weiter geht's bei 148

58

Nachdem Biggles das Dorf auf der Landkarte gefunden hatte – was im Übrigen nicht besonders schwierig war, da es das einzige auf der ganzen Insel war – setzte er den Rückweg zur Bucht fort. Kurze Zeit später hielt er erneut inne. Vor ihm auf dem Boden lag ein Fernglas! „Seinem guten Zustand nach zu urteilen, kann es noch nicht allzu lange hier liegen!", murmelte er nachdenklich, während er es in den Händen drehte. In seiner Stimme schwang Besorgnis mit. „Das kann eigentlich nur heißen, dass wir nicht die Einzigen sind, die nach den Plänen suchen!"

Wenn du noch kein FERNGLAS in deiner FLUGZEUG-KARTE hast, dann kannst du es dir jetzt holen.
Weiter geht's bei 106

59

Während sich Biggles in die Kopie von Wolffs Kodierungsbuch vertiefte, kratzte Henry vorsichtig auf dem schlammverspritzten Segeltuch herum, um die Symbole besser erkennen zu können. Zu seinem großen Entsetzen löste sich der zerschlissene Stoff vollkommen in seine Bestandteile auf. „Der Rucksack hat wohl etwas zu lang in Regen und in Sonne gelegen", meinte Biggles, als sie enttäuscht zu ihrem Flugzeug zurückkehrten. „Aber immerhin wissen wir jetzt, dass er schon eine ganze Weile hier gelegen haben muss. Es ist also gut möglich, dass er Wolff gehört hat."

Als er die Maschine startete, warf er einen kurzen Blick auf das Armaturenbrett, um den Treibstoffvorrat zu überprüfen. Die Nadel zeigte einen tieferen Stand, als er erwartet hatte!

Drehe die Nadel auf deiner BENZINUHR um ein Farbfeld im Uhrzeigersinn weiter. (Vergiss nicht: Wenn die Nadel das GEFAHR-FELD auf deiner BENZINUHR erreicht, musst du das Spiel sofort beenden und wieder von vorne beginnen.)

Weiter geht's bei 71

60

„Was haltet ihr von dem kleinen Holzsteg da unten?", meinte Biggles schließlich und zeigte nach links. „Erstens können wir daran unser Flugzeug vertäuen und zweitens erspart uns das nasse Füße!"

Fred betrachtete den Steg mit zusammengekniffenen Augen. Seiner Meinung nach machte die Konstruktion keinen besonders Vertrauen erweckenden Einruck. Der Anlegeplatz sah ziemlich baufällig aus, so, als würde er jeden Moment zusammenbrechen.

Er beschloss, einen genaueren Blick darauf zu werfen und griff nach seinem Fernglas.

55

Lege dein FERNGLAS auf die vorgezeichnete Schablone, um einen genaueren Blick auf den Anlegeplatz zu werfen, und folge der Anweisung. Wenn du kein FERNGLAS in deiner FLUGZEUG-KARTE hast, geht's stattdessen bei 220 weiter.

```
G D E H K E O Z Ü U   R
F C   Z Ü W L N E S T   I N F
V D R E F I E U Y   T H   R
B A D C F K H O   X T H P N
```

61

Während Henry seine Taschen nach der Kopie von Wolffs Kodierungsbuch durchsuchte, schlug sich Biggles plötzlich mit der flachen Hand gegen die Stirn.

„Aber natürlich!", rief er. „Ich wusste doch, dass mir der Name Christen Hagen irgendwoher bekannt vorkommt. Das war Wolffs Deckname!" Das Team beschloss, sofort zum Wasserfall aufzubrechen und verabschiedete sich hastig von der Frau. Sie hatten es sogar so eilig, dass Fred nicht einmal bemerkte, dass ihm sein Kompass aus der Tasche fiel, als er an Bord kletterte.

Wenn du bereits einen KOMPASS in deiner FLUGZEUG-KARTE hast, dann musst du ihn jetzt leider wieder abgeben.
Weiter geht's bei 120

„Ich glaube, du solltest mal dein Monokel putzen", erklärte Biggles augenzwinkernd, ehe Henry einen Blick durchs Fernglas werfen konnte. „Erinnerst du dich nicht mehr? Die Palme, an der wir unser Flugzeug vertäut haben, reichte als Einzige über den Fluss. Und da steht sie immer noch – direkt neben unserem Flugzeug." Betreten ließ Henry sein Fernglas wieder sinken und erlegte eine weitere Stechmücke auf seinem Arm.

„Diese verflixten Biester!", schnaubte er, während sie ihren Weg zum Sumpf fortsetzten.

Weiter geht's bei 50

Biggles erreichte die Stelle als Erster, seine Kollegen folgten wenig später.

„Es ist ein kleiner Schoner", bemerkte er, während sie zu dem mehrere hundert Meter entfernten im Wasser liegenden Bug hinüberspähten. „Der liegt hier bestimmt schon gut und gern vierzig Jahre im Wasser." Sie waren alle drei so sehr in den Anblick des Schiffswracks vertieft, dass es eine ganze Weile dauerte, bis einer von ihnen die große Metallbox bemerkte, die nur wenige Schritte von ihnen entfernt halb im Sand eingegraben war ...

Weiter geht's bei 167

64

„Potzblitz! Das sind die gleichen Symbole!", jubelte Henry, nachdem er seine Kopie von Wolffs Kodierungsbuch hervorgezogen hatte. Dann wollen wir doch mal sehen, was sich dahinter verbirgt. GEH ZU DER FÄLSCHUNG. Was in Gottes Namen soll das denn nun schon wieder heißen?" Während sie gemeinsam über den Sinn dieses merkwürdigen Hinweises nachgrübelten, fiel Biggles plötzlich etwas Ungewöhnliches an einem der Flamingos auf. Er bewegte sich überhaupt nicht!

„Na klar!", rief er und schnalzte mit den Fingern. „Der Flamingo da drüben ist gar nicht echt, sondern eine Fälschung. Das ist gemeint!"

Sie wollten schon losstürzen und sich den verrückten Vogel einmal genauer ansehen, als Fred einen Kompass auf dem Lehmboden der Bambushütte entdeckte. Eilig schob er ihn in die Hosentasche ....

Wenn du noch keinen KOMPASS in deiner FLUGZEUG-KARTE hast, dann kannst du ihn dir jetzt holen.
Weiter geht's bei 14

65

Die drei staunten nicht schlecht, als es ihnen tatsächlich gelang, hinter den Wasserfall zu treten. Sie betraten eine vollkommen trockene Nische!

„Na, wenn das kein perfektes Versteck ist", meinte Biggles, während sie auf den Wasserstrom blickten, der wie ein undurchdringlicher Vorhang vor ihren Augen herabstürzte. „Von der anderen Seite könnte uns jetzt kein Mensch sehen. Dann wollen wir uns mal ein bisschen umsehen!"

Sie suchten jeden Winkel ab, doch von den Plänen fehlte jede Spur. Das Einzige, was sie fanden, war eine verschlüsselte Botschaft, die in einen Felsen gemeißelt war. Dort stand: GEHE FÜNFZIG SCHRITTE NACH OSTEN.

Lege deinen KOMPASS mit dem Zeiger auf Norden auf die vorgezeichnete Schablone, um Osten zu bestimmen. Weiter geht's bei der Ziffer, die im Fenster erscheint. Wenn du keinen KOMPASS in deiner FLUGZEUG-KARTE hast, musst du raten, bei welchem der angegebenen Abschnitte es weitergeht.

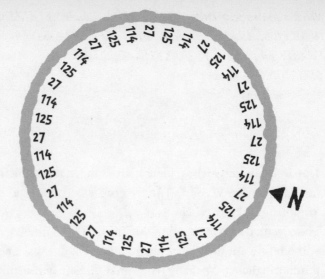

Die drei erreichten das Schiffswrack und kletterten an Bord. Das Schiff schaukelte sanft im Wasser und knarrte bedrohlich. Kein Wunder, dass die Inselbewohner glaubten, dass es hier spukte! Mit vorsichtigen Schritten tasteten sie sich über das morsche Deck und suchten den Teil des Schiffes ab, der aus dem Wasser herausragte.

„Mensch, seht euch das hier mal an!", rief Henry plötzlich. Er kauerte vor den Überresten des abgebrochenen Fockmastens. „Hier hat jemand was ins Holz eingeritzt. Sieht aus wie verschlüsselte Zeichen. Wo habe ich nur meine Kopie von Wolffs Kodierungsbuch …?"

Mit Hilfe der KODIERUNGS-KARTE kannst du die Symbole entschlüsseln. Wenn du keine KODIERUNGS-KARTE in deiner FLUGZEUG-KARTE hast, geht's bei Abschnitt 138 weiter.

67

Henry beschloss, die Sache mit der Landkarte lieber auf später zu verschieben. Seiner Meinung nach war es im Moment wichtiger, bei der Landung seine Augen offen zu halten. Sollten sie nämlich irgendwelche grünen Stellen auf dem Wasser übersehen, könnte sie das teuer zu stehen kommen. Während Biggles zur Landung ansetzte, streifte sein Blick die Benzinuhr. Der Treibstoff war bereits um ein Viertel gesunken!

Drehe die Nadel auf deiner BENZINUHR um ein Farbfeld im Uhrzeigersinn weiter.
Weiter geht's bei 190

„Das ist doch schon mal was!", rief Biggles, nachdem er die Symbole auf dem Stück Papier entschlüsselt hatte. „Hier steht: WERNER WOLFF WAR AUF DIESER IN-SEL! Erst dieses rätselhafte Foto und jetzt die verschlüsselte Flaschenpost – sieht ganz so aus, als hätte Wolff seinen Spaß bei der Sache gehabt!"

Während sie mit Biggles an der Spitze zum Flugzeug zurückkehrten, um den Hauptteil von Flamingo Island zu durchkämmen, fragte Fred, wie er denn so sicher sein könne, dass Wolff mit der Nachricht *diese* kleine Insel hier gemeint habe.

„Sicher kann ich mir natürlich nicht sein", erwiderte Biggles. „Aber du darfst nicht vergessen, dass so eine Flasche einen langen Weg zurücklegen kann. Die bloße Tatsache, dass wir die Nachricht hier *gefunden* haben, besagt noch lange nicht, dass sie auch hier *geschrieben* wurde!"

Weiter geht's bei 236

69

„Sieht ganz so aus, als hätte ich einen guten Riecher gehabt!", rief Fred aufgeregt, während sich die Auster wieder in die Höhe schwang. „Habt ihr die rote Farbe neben dem kleineren Höhleneingang gesehen? Das war Wolffs Unter-

schrift und daneben waren einige verschlüsselte Zeichen.
Los, Biggles, flieg noch einmal dran vorbei und ich versu-
che, mir schnell die Symbole zu notieren."

Biggles machte eine scharfe Kehrtwendung und presste den
Steuerknüppel nach vorn. So langsam wie nur möglich flog
er am besagten Höhleneingang vorbei, während Fred hastig die Symbole auf die Rückseite seiner Landkarte krit-
zelte. Henry zog derweil die Kopie von Wolffs Kodierungsbuch aus der Tasche.

*Mit Hilfe der KODIERUNGS-KARTE kannst du die
Symbole entschlüsseln. Wenn du keine KODIERUNGS-
KARTE in deiner FLUGZEUG-KARTE hast, geht's bei
Abschnitt 5 weiter.*

70

Während Biggles seinen Kompass hervorzog, stiegen plötzlich Zweifel in ihm auf. Woher wussten sie, dass der Mann
überhaupt verstand, wovon sie sprachen? Sein ausgestreck-

ter Arm konnte genauso gut auf das nächstbeste Wasserloch zeigen. Als Biggles sich von dem Mann verabschiedete, bemerkte er, wie seine gelblichen Augen sehnsüchtig auf seinem Fernglas ruhten. Er beschloss, es dem alten Mann zum Dank für seine Hilfe zu schenken, und streifte den Lederriemen über den Kopf.

Wenn du bereits ein FERNGLAS in deiner FLUGZEUG-KARTE hast, dann musst du es jetzt leider wieder abgeben.
Weiter geht's bei 106

Die Suche nach den Plänen ging weiter. Doch je länger sie die Insel absuchten, desto hoffnungsloser erschien ihnen ihre Lage.

„Das Ganze ist einfach unmöglich!", rief Henry schließlich verzweifelt. „Allmählich beginne ich mir zu wünschen, wir hätten dieses verflixte Foto niemals zu Gesicht bekommen!" Biggles legte nachdenklich die Stirn in Falten. Natürlich … *das Foto*. Warum zum Teufel war er nicht schon früher darauf gekommen!

Weiter geht's bei 187

72

Gerade als Fred das Schiffswrack auf der Karte ausgemacht hatte, sprang Biggles zu ihnen ins Flugzeug.

„Tut mir Leid, dass ihr auf mich warten musstet, Jungs", sagte er, während er die Maschine startete. „Aber als ich mich noch einmal umdrehte, sah ich, dass der Junge uns mit etwas zuwinkte. Er hat es wohl von Wolff stibitzt und für den Fall, dass es etwas Wertvolles ist, aufbewahrt. Er meinte, für ein paar Münzen könne ich es haben. Es war ein guter Handel, denn es ist ein weiteres Exemplar von Wolffs Kodierungsbüchern!"

Wenn du noch keine KODIERUNGS-KARTE in deiner FLUGZEUG-KARTE hast, dann kannst du sie dir jetzt holen.
Weiter geht's bei 86

73

„DIES IST DER BESITZ VON WERNER WOLFF!", entschlüsselte Henry aufgeregt die Symbole auf der Waffe. Als er das Magazin herausdrückte, um zu sehen, ob es geladen war – es war leer – wunderte er sich laut darüber, warum Wolff nicht einfach seinen richtigen Namen eingraviert hatte.

„Immerhin war er ein Geheimagent", meinte Biggles. „Die sind ja förmlich davon besessen, alles zu verschlüsseln!"

Weiter geht's bei 50

74

„Warte mal, Henry", widersprach Fred. „Woher wissen wir denn, dass die Statue nicht wirklich in diese Richtung zeigen soll? Vielleicht liegt ja das ehemalige Haus oder das Grab des Admirals in dieser Richtung. Es könnte alle möglichen Gründe dafür geben."
Henry beharrte jedoch auf seinem Standpunkt. Admiralsstatuen blickten immer aufs Meer hinaus!

Weiter geht's bei 213

75

„Warte mal eine Sekunde", wandte Fred ein. „Woher wissen wir überhaupt, dass die Flamingos nicht vom Sumpf wegfliegen anstatt auf ihn zu?" Henry erwiderte, das wüssten sie natürlich nicht, aber das sei ja gerade der Kitzel!
„So, und jetzt her mit dem Kompass", fügte er hinzu.

Weiter geht's bei 144

„Ich habe doch nicht etwa meinen Kompass unterwegs verloren", murmelte Fred stirnrunzelnd und wühlte in seiner
Innentasche. Er zog die Landkarte heraus und legte sie auf
den Boden, um noch einmal gründlich nachzusehen. Plötzlich fegte ein heftiger Windstoß durch die baufällige Bambushütte und wirbelte die Landkarte durch die Türöffnung
hinaus. Sie landete ausgerechnet im Sumpf. Es war unmöglich, gefahrlos an sie heranzukommen. Aber es gab auch
eine erfreuliche Nachricht. Er hatte seinen Kompass wieder
gefunden – in einer anderen Tasche.

*Wenn du bereits eine LANDKARTE in deiner FLUG-
ZEUG-KARTE hast, dann musst du sie jetzt leider wieder
abgeben.*
Weiter geht's bei 111

„Wie wär's mit der kleinen Bucht da unten", schlug Fred
vor, nachdem sie ein bis zwei Meilen an der Küste entlanggeflogen waren. „Die mit den hohen Sanddünen. Das Wasser sieht dort ziemlich ruhig aus und angesichts der dunkelblauen Farbe auch schön tief: also ideal für eine Landung."
Biggles warf einen prüfenden Blick auf die Bucht und
nickte zustimmend. Fred hatte Recht, es war keine einzige

grüne Stelle zu sehen. Henry beschloss indessen, einen Blick auf die Landkarte zu werfen, um festzustellen, wo sie sich genau befanden.

Suche auf deiner LANDKARTE, in welchem Planquadrat die Bucht mit den Sanddünen liegt, und folge der Anweisung. Wenn du keine LANDKARTE in deiner FLUGZEUG-KARTE hast, musst du raten, bei welchem Abschnitt es weitergeht.

Bei E1   weiter geht's bei 67

Bei E3   weiter geht's bei 190

Bei E2   weiter geht's bei 30

78

„Na also!", rief Henry, nachdem er die Nachricht entschlüsselt hatte. „Diese Symbole enthalten *tatsächlich* eine Nachricht! Hier steht, dass die Pläne irgendwo auf Flamingo Island versteckt sind!" Natürlich hätte er eine präzisere Information bevorzugt, aber immerhin wussten sie jetzt mit Sicherheit, dass sie am richtigen Ort nach den Plänen suchten. Biggles hatte beschlossen, vorerst ohne eingeschalteten Motor über Flamingo Island zu segeln. Zum einen sparten sie damit Treibstoff und zum andern hatte Fred geglaubt, das Motorengeräusch eines anderen Flugzeugs gehört zu haben. Mit gerunzelter Stirn suchte er den Himmel ab. Was, wenn sie verfolgt wurden? Aber er konnte nichts entdecken. Entweder hatten ihm seine Ohren einen Streich gespielt oder das andere Flugzeug versteckte sich geschickt vor ihnen.

Weiter geht's bei 228

79

Als Fred sein Fernglas scharf gestellt hatte, war der weiße Streifen wieder verschwunden.

„Vielleicht war es nur eine hohe Welle, mein Freund", meinte Henry ... doch Fred war sich jetzt nahezu vollkommen sicher, dass es *tatsächlich* ein Motorboot gewesen war. Ein Motorboot, das sie nicht gesehen hatten, weil *es nicht gesehen werden wollte*! Und das ihnen vielleicht folgte! Doch Fred hielt es für besser, seine Gedanken vorerst für sich zu behalten, und blickte schweigend nach vorn.

„Wir haben schon ein Viertel unseres Treibstoffes verbraucht", bemerkte Biggles, als er einen Blick auf die Benzinuhr warf. „Hoffentlich müssen wir nicht allzu viel auf der Insel herumfliegen, sonst reicht das nie!"

Drehe die Nadel auf deiner BENZINUHR um ein Farbfeld im Uhrzeigersinn weiter.
Weiter geht's bei 228

Biggles ging seinen beiden Kollegen voran. Sie folgten einem engen Pfad, der sich langsam zum Gipfel schlängelte. „Mensch, Fred, sieht so aus, als hättest du einen Volltreffer gelandet!", rief Biggles zwei Stunden später, als sie endlich vor dem hölzernen Kreuz standen. „Da hat jemand ein paar Symbole ins Holz geritzt, die mir ganz wie eine verschlüsselte Botschaft aussehen. Wenn da mal nicht unser Freund Wolff dahinter steckt!" Mit triumphierender Miene griff er in seine Tasche nach Wolffs Kodierungsbuch.

Mit Hilfe der KODIERUNGS-KARTE kannst du die Symbole entschlüsseln. Wenn du keine KODIERUNGS-KARTE in deiner FLUGZEUG-KARTE hast, geht's bei Abschnitt 19 weiter.

81

Ehe Henry einen Blick durch das Fernglas auf den Hubschrauber werfen konnte, hatte er auch schon wieder in
Richtung Meer abgedreht.

„Dann wollen wir mal hoffen, dass das nur ein harmloser
Zeitgenosse war", meinte Biggles achselzuckend. So ganz
geheuer war ihm die Sache allerdings nicht. Vielleicht war
der Helikopter auch nur vorübergehend verschwunden, damit sie keinen Verdacht schöpften. Aber es gab noch etwas
anderes, das Biggles beunruhigte: ihr Treibstoffvorrat. Der
Blick auf die Benzinuhr bestätigte ihm, dass die Nadel weiter gesunken war.

*Drehe die Nadel auf deiner BENZINUHR um ein Farbfeld
im Uhrzeigersinn weiter.* (Vergiss nicht: Wenn die Nadel
das GEFAHR-Feld auf deiner BENZINUHR erreicht,
musst du das Spiel sofort beenden und noch einmal von
vorn beginnen.)

Weiter geht's bei 71

82

Biggles vollführte eine 180°-Wende und flog zum Gipfel
zurück. Er hielt es für sinnvoller, das Gebiet auf der anderen Bergseite zu überfliegen, denn dort erstreckte sich ein

viel größerer Teil der Insel. Die Frage war allerdings, ob sie überhaupt noch genug Treibstoff für eine ausgedehnte Suche hatten. Ein Blick auf die Benzinuhr hatte ihm gezeigt, dass ihnen viel weniger Treibstoff blieb, als er angenommen hatte.

Drehe die Nadel auf deiner BENZINUHR um ein Farbfeld im Uhrzeigersinn weiter. (Vergiss nicht: Wenn die Nadel das GEFAHR-Feld auf deiner BENZINUHR erreicht, musst du das Spiel sofort beenden und noch einmal von vorn beginnen.)
Weiter geht's bei 71

83

Fred war als Erster am Flugzeug, dicht gefolgt von Henry. Biggles hatte auf halbem Weg plötzlich angehalten und war noch einmal zu dem Jungen zurückgerannt. Ihm war eingefallen, dass sie versäumt hatten, dem Jungen eine wichtige Frage zu stellen: In welcher Richtung befand sich das Schiffswrack?
Der Junge deutete mit seinem dünnen, glänzenden Arm zum Horizont. Biggles griff hastig in seine Hosentasche nach dem Kompass, um die Richtung zu bestimmen.

72   *Lege deinen KOMPASS mit dem Zeiger auf Norden auf die vorgezeichnete Schablone, um die Richtung zu bestimmen.*

Weiter geht's bei der Ziffer, die im Fenster erscheint. Wenn du keinen KOMPASS in deiner FLUGZEUG-KARTE hast, musst du raten, bei welchem Abschnitt es weitergeht.

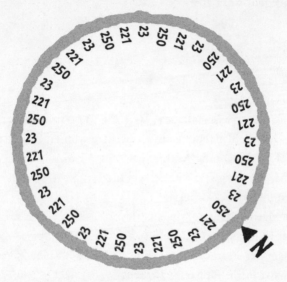

Fred studierte stirnrunzelnd seine Landkarte, doch er konnte keine Felsen im Fluss entdecken. Entweder gab es dort keine ... oder die Person, die die Karte gezeichnet hatte, hatte sich nicht die Mühe gemacht, sie einzutragen. Was nun von beidem zutraf, würden sie gleich wissen, denn die Maschine setzte mit den Kufen auf dem Fluss auf und das Wasser spritzte gegen die Fensterscheiben. Fred machte sich innerlich auf einen Stoß gefasst, doch das Flugzeug

73

kam nur wenige Meter vom rechten Ufer entfernt sanft zum Stehen.

Weiter geht's bei 109

„Da ist der Wasserfall", erklärte die Frau und deutete auf Freds Karte. Sie lächelte stolz und ihre weißen Zähne blitzten. „Da hat sich der Mann versteckt." Zum Erstaunen der drei Männer zog sie plötzlich ein kleines Notizbuch aus den Falten ihres Rockes hervor.

„Das hier hat er unterwegs verloren", sagte sie zu Fred mit einem freundlichen Lächeln. „Ihr könnt es haben." Nachdem sie der Frau für ihre Hilfe gedankt hatten, kletterten sie hastig in ihr Flugzeug zurück.

Erst in der Luft fand Fred die Zeit, sich das Notizbuch genauer anzusehen. Es enthielt eine weitere Liste von Wolffs Geheimzeichen!

Wenn du noch keine KODIERUNGS-KARTE in deiner FLUGZEUG-KARTE hast, dann kannst du sie dir jetzt holen.

Weiter geht's bei 197

Kurze Zeit später folgten sie wieder der Küstenlinie und hielten nach dem Schiffswrack Ausschau.

„Fragt sich nur, wie viel von dem Schiff überhaupt aus dem Wasser ragt", meinte Biggles, während sie so langsam wie nur möglich über das Wasser flogen. „Hoffentlich genug, damit wir es von hier oben erkennen können!"

Henry griff nach seinem Fernglas ...

Lege dein FERNGLAS auf die vorgezeichnete Schablone, um das Schiffswrack zu finden, und folge der Anweisung. Wenn du kein FERNGLAS in deiner FLUGZEUG-KARTE hast, geht's stattdessen bei 96 weiter.

```
GEY     PH  EPZ  PU
WI    ÜELRIXTNSNO
  FEEF    ÜYNTFEUN
SAECXKHOTS   H N
```

87

Biggles teilte die Meinung seiner Kollegen über den Pfeil ganz und gar nicht. Seiner Ansicht nach konnte es sich genauso gut um eine harmlose Verfärbung des Gesteins handeln. Fred legte seinen Kompass einen Moment beiseite, während Biggles erneut an den Höhlen vorbeiflog.

„Jetzt weiß ich, was du meinst, Captain", nickte Fred. „Du hast Recht. Nun sieht es wirklich nicht wie ein Pfeil aus. So wie es aussieht, ist es nichts als ein verwitterter Riss im Gestein."

Weiter geht's bei 206

88

Ehe Fred dazu kam, die Position des Dorfes auf seinem Kompass zu überprüfen, glitt die Auster schon über das Wasser in unmittelbarer Nähe des Strandes. Wie sich herausstellte, waren die Hütten auch noch nach ihrer Landung problemlos zu sehen, sodass sich der Blick auf den Kompass erübrigte. „Bis zum Dorf sind es schätzungsweise zwanzig Minuten", meinte Biggles, während sie durch das warme Wasser ans Ufer wateten.

Weiter geht's bei 33

89

Der Fluss wurde immer schmaler und reißender, bis sie plötzlich vor dem Wasserfall standen. „Mann oh Mann, ist der riesig!", rief Fred, während er gebannt auf die über drei Felsstufen herabstürzenden Wassermassen starrte. Allein die unterste Stufe umfasste mindestens dreißig Meter. „Wenn wir noch näher rangehen, werden wir klatschnass werden!" Aber daran führte kein Weg vorbei, denn die Frau aus dem Sumpfgebiet hatte ihnen ja gesagt, dass Wolff *hinter* den Wasserfall getreten sei. Von allein wären sie jedenfalls niemals auf die Idee gekommen, das zu riskieren – schließlich hatten sie keine Lust zu ertrinken. Doch jetzt tasteten sie sich notgedrungen über die glitschigen Felsbrocken …

Weiter geht's bei 65

90

Nachdem die Auster auf dem Fluss gelandet war, wateten die drei ans Ufer.

„Du hättest ruhig ein bisschen näher am Rand landen können, mein Freund", meinte Henry schmunzelnd. „Ich werde mir noch meine Strümpfe ruinieren!" Sein verschmitztes Lächeln erstarb auf der Stelle, als sich Fred ängstlich erkundigte, ob es hier Wasserschlangen gebe.

„Schreck lass nach. Ich hoffe nicht!", erwiderte Henry, während sie zum Ufer hasteten.

Mit dem PERSONENWÜRFEL bestimmst du, wer das Ufer zuerst erreicht.

BIGGLES	**weiter geht's bei 200**
HENRY	**weiter geht's bei 254**
FRED	**weiter geht's bei 223**

91

„Aber hier könnten sich *zig* Bananenplantagen befinden!", meinte Henry zu Fred, noch ehe dieser seine Landkarte aufgeschlagen hatte. „Woher willst du wissen, welche die richtige ist?"

Daran hatte er wirklich nicht gedacht. Seufzend schob er die Landkarte in seine Jackentasche zurück. Dabei bemerkte er, dass sein Kompass verschwunden war. Hastig durchwühlte er sämtliche Taschen. Nichts.

„Verdammter Mist!", brummte er. „Ich muss ihn auf Jamaika verloren haben."

Wenn du bereits einen KOMPASS in deiner FLUGZEUG-KARTE hast, dann musst du ihn jetzt leider wieder abgeben.

Weiter geht's bei 173

Das Letzte, mit dem die drei gerechnet hatten, war, eine Flaschenpost am Strand zu finden … aber genau das fanden sie!

„Eine einsame Insel und dann noch Flaschenpost!", bemerkte Henry kopfschüttelnd, während Biggles die Flasche aufhob. „Kaum zu glauben." Der Pilot zog das aufgerollte Papier heraus und strich es mit der Hand glatt.

„Die Nachricht scheint mit einer Art Geheimkode verschlüsselt zu sein", sagte Biggles und griff in seine Innentasche. „Dann wollen wir doch mal einen Blick in Wolffs Kodierungsbuch werfen."

Mit Hilfe der KODIERUNGS-KARTE kannst du die Nachricht entschlüsseln. Wenn du keine KODIERUNGS-KARTE in deiner FLUGZEUG-KARTE hast, geht's bei Abschnitt 169 weiter.

93

Als das Flugzeug auf der Höhe des Holzstückes schwamm, starrte Henry enttäuscht auf die vermeintlichen Geheimzeichen. Mist! Es waren ganz gewöhnliche Buchstaben.

„Hier steht: ACHTUNG TIEFES GEWÄSSER!", las er den anderen leicht verlegen vor und zog den Kopf wieder durchs Fenster zurück. „Nur ein altes Schild, von dem die Farbe abblättert." Biggles nickte und stellte den Motor der Maschine ab. Dabei streifte sein Blick die Benzinuhr. Ihnen blieb weniger Treibstoff, als er erwartet hatte!

Drehe die Nadel auf deiner BENZINUHR um ein Farbfeld im Uhrzeigersinn weiter.
Weiter geht's bei 224

94

Die Flamingos stoben erschrocken in die Höhe, als die Auster durch das Sumpfgebiet pflügte und schließlich zum Stehen kam. Kaum waren die drei Männer aus dem Flugzeug geklettert, tauchte auch schon eine hochgewachsene Frau mit strahlend weißen Zähnen zwischen den Schilfhalmen auf. Ihrem Gesichtsausdruck nach zu schließen war sie ziemlich wütend!

„Was fällt Ihnen ein, meine Flamingos so zu erschrecken!", schrie sie wütend. „Ich bin für diese Flamingos verantwort-

lich. Wenn sie Angst haben, werden sie hier nicht brüten. Sie sind auch nicht besser, als der Mann, der vor einiger Zeit einmal hier gelandet ist!"
Die drei Männer wechselten einen viel sagenden Blick. Meinte sie etwa Wolff?

Weiter geht's bei 26

Biggles erklärte Henry, sie hätten jetzt keine Zeit, um die Symbole auf der Waffe zu entschlüsseln.
„Bis zum Einbruch der Dunkelheit bleiben uns nur noch wenige Stunden", sagte er mit Blick auf seine Armbanduhr. „Wir werden jede Minute davon brauchen, wenn wir uns den Sumpf genauer ansehen wollen. Steck die Waffe ein. Wir sehen sie uns später genauer an."
Kurz darauf stolperte Henry über einen Stein. Mit angehaltenem Atem fiel er der Länge nach hin und betete, dass die Waffe nicht geladen war. Es war nämlich nicht auszuschließen, dass sich beim Aufprall ein Schuss löste. Er hatte Glück. Den Sturz überstand er unbeschadet – doch sein Fernglas zersprang in tausend Stücke.

Wenn du bereits ein FERNGLAS in deiner FLUGZEUG-KARTE hast, dann musst du es jetzt leider wieder abgeben.
Weiter geht's bei 50

„Da ist es ja!", rief Biggles. „Seht ihr's? Circa eine halbe Meile vor uns, rund vierhundert Meter von der Küste entfernt. Es scheint kein besonders großes Schiff zu sein, doch die Hälfte ragt noch aus dem Wasser."

Während sie sich dem Wrack näherten, warf Biggles einen prüfenden Blick auf die Benzinuhr. Der Treibstoff war schon wieder ein gutes Stück gesunken!

Drehe die Nadel auf deiner BENZINUHR um ein Farbfeld im Uhrzeigersinn weiter. (Vergiss nicht: Wenn die Nadel das GEFAHR-Feld auf deiner BENZINUHR erreicht, musst du das Spiel sofort beenden und noch einmal von vorn beginnen.)

Weiter geht's bei 186

„Sie haben uns gesehen!", keuchte Biggles, als die Männer plötzlich kehrtmachten und in den Schutz der Palmen zurückhetzten. „Hoffentlich konnten sie noch keinen Schaden anrichten."

Sie hatten Glück – die Auster war unbeschadet. Biggles runzelte die Stirn. Der Zwischenfall beunruhigte ihn zutiefst.

„Diese Männer sind wohl ebenfalls an den Plänen interessiert und wollten uns einen Strich durch die Rechnung machen", knurrte er. „Im Moment halte ich es für das Klügste, uns vorerst zurückziehen. Ich nehme schwer an, dass sie bewaffnet sind. Am besten wir kehren nach Jamaika zurück und holen Verstärkung. Wir können nur hoffen, dass sie die Pläne bis dahin nicht finden!"

Leider konntest du den Fall nicht lösen. Wenn du es noch einmal versuchen willst, musst du von vorn beginnen. Du solltest dieses Mal mit einer anderen AUSRÜSTUNGS-KARTE starten! Dann hast du vielleicht mehr Glück!

98

Kurz bevor die Auster durch die Bäume hindurchschimmerte, verstummte das Geräusch.

„Wer auch immer das war, scheint sich aus dem Staub gemacht zu haben", meinte Biggles, als sie zu ihrem Flugzeug stürzten und niemanden mehr vorfanden. „Wahrscheinlich hatten sie nicht viel Ahnung von Flugzeugen." Doch wenig später musste er feststellen, dass die Unbekannten doch nicht *so* unbedarft gewesen waren. Als er den Motor anlief zeigte die Treibstoffanzeige bedeutend weniger an als zuvor. Jemand musste Benzin aus dem Tank abgelassen haben!

Drehe die Nadel auf deiner BENZINUHR um ein Farbfeld im Uhrzeigersinn weiter.
Weiter geht's bei 162

„Hier steht, dass die Pläne in der Richtung versteckt sind, in die die Klinge zeigt", erklärte Henry, nachdem er die Symbole entschlüsselt hatte. „Das heißt also, immer geradeaus. Wie praktisch, das ist genau die Richtung, die wir sowieso eingeschlagen haben. Tja, Freunde, sieht so aus, als hätten wir mit dem Wasserfall einen Volltreffer gelandet." Biggles' Begeisterung hielt sich im Gegensatz zu Henry allerdings in Grenzen, denn er hatte etwas berücksichtigt, an das sein Kollege nicht gedacht hatte. In all der Zeit, in der das Messer schon hier lag, konnte es sehr wohl aus Versehen herumgedreht worden sein.

Weiter geht's bei 89

Biggles wartete im Flugzeug, während Henry und Fred auf den Anlegesteg kletterten.

„Weißt du, wenn Wolff mit dem Boot auf die Insel gekommen ist", meinte Fred zuversichtlich, während sie vorsichtig über die morsche Holzkonstruktion balancierten, „dann ist es gut möglich, dass er hier angelegt hat. Am besten wir sperren mal die Augen auf, ob er nicht irgendetwas verloren hat – eine Uhr oder ein Zigaretten-Etui."

Henry rümpfte die Nase. Das war doch ziemlich unwahrscheinlich! An einer Bohle hielt er plötzlich inne. Mit gerunzelter Stirn betrachtete er einige ins Holz geritzte Zeichen – vielleicht eine geheime Botschaft? Eilig griff er in seine Jackentasche nach der Kopie von Wolffs Kodierungsbuch ...

Mit Hilfe der KODIERUNGS-KARTE kannst du die Symbole entschlüsseln. Wenn du keine KODIERUNGS-KARTE in deiner FLUGZEUG-KARTE hast, geht's bei Abschnitt 233 weiter.

101

„Hier steht: KARTE IM INNERN VERSTECKT", erklärte Henry, nachdem er sich stirnrunzelnd über das Kodierungsbuch gebeugt hatte. Flink kletterte er aus dem Flugzeug und zwängte sich zwischen die Flügelträger, um sich nach der Boje zu bücken.

„Sie scheint aus zwei Teilen zu bestehen", rief er, während er an der oberen Hälfte der Plastikkugel drehte. „Na also, da haben wir doch was! Zu ärgerlich, dass es nicht die Pläne selbst sind. Aber diese Karte wird uns bestimmt verraten, wo wir sie finden können!" Das tat sie leider nicht! Henry studierte die Karte eingehend, aber er konnte beim besten Willen weder ein Kreuz noch einen Pfeil darauf entdecken.

„Zumindest ist diese Boje ein eindeutiger Hinweis, dass Wolff tatsächlich einmal hier war", sagte Biggles zuversichtlich, während er die Maschine wieder startete. „Ich wüsste nicht, warum sich jemand anderes die Mühe machen sollte!"

Wenn du noch keine LANDKARTE in deiner FLUG-ZEUG-KARTE hast, dann kannst du sie dir jetzt holen. Weiter geht's bei 45

102

„Lass das Fernglas stecken", meinte Biggles, ehe Fred es an die Augen gesetzt hatte. „Bis du den ganzen Himmel abgesucht hast, dauert es viel zu lange. Ich habe eine viel bessere Idee." Er drosselte den Motor einen Augenblick lang und alle drei lauschten angestrengt.

„Da! Ich höre was!", rief Biggles mit einer Hand am Ohr.

„Dem Klang nach ist es nur eine kleine Maschine, schätzungsweise unser Kaliber. Fragt sich, was sie im Schilde führt? Ich schlage vor, wir machen einen kleinen Ausflug. Mal sehen, ob es uns folgt!"

Weiter geht's bei 13

103

Biggles wandte die Maschine dem Landesinneren zu und die Statue wurde immer kleiner. Ehe der steinerne Admiral völlig verschwunden war, beschloss Fred, auf seiner Karte nach der Figur zu suchen. Dann wussten sie wenigstens genau, wo sie sich gerade befanden.

Suche auf deiner LANDKARTE, in welchem Planquadrat die Statue steht, und folge der Anweisung. Wenn du keine LANDKARTE in deiner FLUGZEUG-KARTE hast, musst du raten, bei welchem Abschnitt es weitergeht.

Bei C4   **weiter geht's bei 56**
Bei D4   **weiter geht's bei 18**
Bei D3   **weiter geht's bei 173**

104

Laut Freds Kompass befand sich das Dorf südöstlich von der Stelle, an der sie landen wollten. Glücklicherweise hatte er die Position vom Flugzeug aus bestimmt, denn als die Auster in der Bucht aufsetzte, war das Einzige, was sie sahen, ein dichtes Spalier von Palmen und sonst nichts.

„Südöstliche Richtung hast du gesagt, nicht wahr, Fred?", versicherte sich Biggles, als er mit dem Kompass in der Hand zwischen den Bäumen hindurchschritt.

Weiter geht's bei 33

105

„Ich bezweifle stark, dass Wolff die linke Höhle als Versteck benutzt hat, mein Freund", meinte Henry, nachdem er einen Blick durch sein Fernglas geworfen hatte. „Im Wasser lauern viel zu viele spitze Felsblöcke. Die würden jedes Boot in Stücke zerreißen."

Da Fred das Gleiche für die rechte Höhle bestätigte, befand Biggles, dass sie die Höhlen nun ruhigen Gewissens als Versteck ausschließen konnten. Er zog den Steuerknüppel nach hinten und drehte das Flugzeug Richtung Landesinneres.

Weiter geht's bei 48

Kurze Zeit später war das Dorf nur noch eine Ansammlung von kleinen Punkten, während die Auster immer höher in den blauen Himmel aufstieg. Sie waren noch nicht weit geflogen, als Fred bemerkte, dass sie nicht die Einzigen in der Luft waren. Wenige Meilen von ihnen entfernt flog ein Hubschrauber!

„Was will der denn hier?", brummte Biggles argwöhnisch. „Der wird uns doch nicht etwa nachspionieren? Henry, wirf doch bitte mal einen Blick durch dein Fernglas und sag mir, mit was für einem Gerät wir es da zu tun haben."

Lege dein FERNGLAS auf die vorgezeichnete Schablone, um einen genaueren Blick auf den Hubschrauber zu werfen, und folge der Anweisung. Wenn du kein FERNGLAS in deiner FLUGZEUG-KARTE hast, geht's stattdessen bei 81 weiter.

```
G   DEHKEO   ÜZ   W   U
   C  EW  LNIS   NSN
DNRÜFR       YETH        I
ZD   FKWOEXIH   N
```

107

„Die Flamingos fliegen Richtung Süden", erklärte Fred, nachdem er einen prüfenden Blick auf seinen Kompass geworfen hatte. Also legte Biggles die Maschine so lange in die Kurve, bis auch der Bordkompass südliche Flugrichtung anzeigte. Wenige Meilen später tauchte das Sumpfland vor ihnen auf und die Flamingos setzten zur Landung an.

Weiter geht's bei 22

108

Laut Biggles' Kompass zeigte die Frau nach Nordwesten. Er wollte ihr gerade für ihre Hilfe danken, als sie sich plötzlich umdrehte und in einer kleinen Schilfhütte am Rande des Sumpfes verschwand. Nach wenigen Minuten kam sie wieder zu ihnen zurück.

„Auf dem Weg zum Wasserfall", erklärte sie stolz und reichte Biggles ein kleines Notizbuch, „hat er das hier verloren. Ich hab's aufgehoben und behalten."

Biggles blätterte aufmerksam durch das zerfledderte Heft. Es war ein weiteres Exemplar von Wolffs Kodierungsbüchern!

Wenn du noch keine KODIERUNGS-KARTE in deiner FLUGZEUG-KARTE hast, dann kannst du sie dir jetzt holen.
Weiter geht's bei 210

109

Einige Minuten später vertäuten die drei Männer die Auster an einer Palme am Ufer. Mit raschen Schritten schlugen sie den Weg zum Sumpfgebiet ein.

„Diese verflixten Biester", knurrte Henry unterwegs. „Ich bin schon ganz zerstochen!" Als er den Kopf nach hinten wandte, um einem ganz besonders bösartigen Exemplar, das auf der Rückseite seines Armes gelandet war, den Garaus zu machen, fiel sein Blick auf ihr Flugzeug, das nur noch als kleiner Fleck eine halbe Meile von ihnen entfernt zu erkennen war. Er hätte schwören können, dass es sich bewegt hatte!

„Oh nein, bitte sagt nicht, dass es sich von der Palme gelöst hat", rief er und griff nach seinem Fernglas.

Lege dein FERNGLAS auf die vorgezeichnete Schablone, um einen genaueren Blick auf das Flugzeug zu werfen, und folge der Anweisung. Wenn du kein FERNGLAS in deiner FLUGZEUG-KARTE hast, geht's stattdessen bei 62 weiter.

```
G  S   E   HR  XE   PZU
   E    F   LWIXTNSNO
D     EZRE    ÜINF
BFDÜF   NOFX   H  N
```

110

Nachdem Fred den Wasserfall auf seiner Karte ausfindig gemacht hatte, suchte er nach nahe gelegenen Höhenlinien, um seine ungefähre Höhe abschätzen zu können.

„Na also, da ist ja eine", murmelte er schließlich. „Dreihundert Meter über Meereshöhe. Und hier ist noch eine direkt am Fuß des Wasserfalls – einhundert Meter. Das heißt, er ist zweihundert Meter hoch. Ganz schön groß!"

Weiter geht's bei 153

111

Fred zog gerade den Kompass aus seiner Tasche, als er ein lautes Geräusch vor der Hütte hörte. Die Flamingos waren urplötzlich allesamt hochgeflattert!

„Vielleicht sind wir nicht die einzigen Besucher hier im Sumpf", zischte Henry, während sie nach draußen stürmten, um zu sehen, was los war. Aber dort war keine Menschenseele zu sehen. Als sie in die Hütte zurückkehren wollten, fiel Biggles etwas höchst Merkwürdiges auf. Ein einziger Flamingo verharrte ungerührt im Wasser.

„Ich glaub, ich spinne. Was ist denn das für ein komischer Vogel?", rief er und ging näher heran.

Weiter geht's bei 14

112

Knapp zwanzig Minuten später standen die drei wieder vor ihrem Flugzeug und kletterten rasch ins Cockpit, um die Insel weiter zu erkunden.

„Tja, der Vorschlag mit dem Berg war wohl doch nicht so gut", bemerkte Fred kleinlaut, während sie sich wieder in die Luft schwangen. „Sieht so aus, als wäre Wolff schlauer gewesen, als ich dachte!"

Weiter geht's bei 162

113

Fred hatte gerade seine Landkarte aufgeklappt, als Biggles zu ihnen zurückkehrte.

„Wir haben ganz vergessen, den Jungen zu fragen, wo das Wrack überhaupt liegt!", erklärte er seine Verspätung, während er sich auf seinen Platz schwang. „Außerdem fand ich, dass er eine kleine Belohnung für seine Hilfe verdient hatte. Dafür hat er mir auch versprochen, keine Flamingo-Eier mehr zu stehlen. Ich weiß zwar nicht, ob er sich daran halten wird, aber man kann nie wissen."

Weiter geht's bei 86

114

„Meint ihr, dass diese Zeichen von Wolff stammen?", fragte Fred, während sie die Worte wiederholten. „Und wenn ja, glaubt ihr, dass wir am Ende der fünfzig Schritte *die Pläne* finden werden?" Die andern beiden zuckten unschlüssig mit den Achseln. Wer konnte das schon wissen? Gewissheit konnte ihnen nur eins bringen … nachsehen!

Weiter geht's bei 27

„Jetzt wird's ernst!", meinte Henry, als die hügelige Insel immer näher rückte und immer farbiger wurde. „Die Insel zu finden war das reinste Kinderspiel. Aber die Pläne zu finden, das ist eine ganz andere Sache! Wo sollen wir bloß anfangen?"

Biggles senkte die Flughöhe und schlug vor, nach irgendeinem Anhaltspunkt für Wolffs Besuch auf der Insel Ausschau zu halten. Zum Beispiel eine herumliegende Schwimmweste oder ein zerrissenes Segel oder dergleichen. Ihre Chancen standen eins zu einer Million – aber im Moment war es das Einzige, was sie tun konnten!

Mit dem PERSONENWÜRFEL bestimmst du, wer zuerst etwas entdeckt.

BIGGLES   **weiter geht's bei 139**

HENRY   **weiter geht's bei 17**

FRED   **weiter geht's bei 234**

Henry suchte immer noch nach dem Kodierungsbuch, als plötzlich ein heftiger Windstoß durchs Cockpit fegte. Ehe er reagieren konnte, flog das Foto in die Luft und wirbelte aus dem Fenster.

„Verflixt und zugenäht!", rief er, während er dem Bild bedauernd nachblickte.

Weiter geht's bei 283

117

„Das Dorf ist gar nicht weit vom Meer entfernt", meinte Fred und deutete auf die rund eine Meile entfernte Küste. „Wir könnten in der Bucht da drüben landen. Von dort aus ist es nur noch ein kurzer Fußmarsch.
Während Biggles die Auster nach rechts steuerte, zog Fred seinen Kompass aus der Tasche. Er hielt es für klüger, die Position des Dorfes zu bestimmen. So konnten sie es auch wieder finden, falls man die Hütten von der Bucht aus nicht mehr sah.

Lege deinen KOMPASS mit dem Zeiger auf Norden auf die vorgezeichnete Schablone, um die Position des Dorfes zu bestimmen. Weiter geht's bei der Ziffer, die im Fenster erscheint. Wenn du keinen KOMPASS in deiner FLUG-ZEUG-KARTE hast, musst du raten, bei welchem der angegebenen Abschnitte es weitergeht.

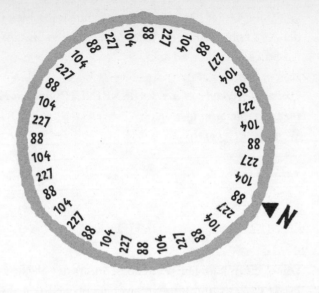

118

„Tut mir Leid, dich enttäuschen zu müssen, Henry", erklärte Biggles, ehe er sein Fernglas hervorgeholt hatte. „Deine Vermutung hat einen entscheidenden Haken! Um mit dem Fallschirm auf der Insel abzuspringen hätte er einen Komplizen benötigt, der das Flugzeug steuerte. Genau das halte ich jedoch für höchst unwahrscheinlich. So wertvoll wie die Pläne waren, glaube ich kaum, dass Wolff es riskiert hat, jemanden in die Sache einzuweihen."

Henry seufzte zustimmend und so setzten sie ihre Suche nach einem wahrscheinlicheren Hinweis über der Insel fort. Allmählich verließ auch Biggles der Mut. Denn abgesehen von ihren bisher eher mageren Ergebnissen schien die Nadel der Treibstoffanzeige jedes Mal, wenn er hinsah, wieder ein Stück gesunken zu sein.

Drehe die Nadel auf deiner BENZINUHR um ein Farbfeld im Uhrzeigersinn weiter.
Weiter geht's bei 48

119

Durch einen heftigen Windstoß entglitt der Negativstreifen Freds Fingern und landete zwar nicht weit von ihm, aber dafür im Wasser.

„Mist, die Negative sind ruiniert!", rief Fred, während er hastig ins Wasser watete, um sie wieder herauszufischen. „Und die Geheimzeichen sind auch weg!"

Aber das waren nicht die einzigen schlechten Nachrichten. Während sie kurze Zeit später wieder in die Höhe stiegen, streifte Biggles' Blick die Benzinuhr. Nanu? Der Treibstoffvorrat war bedeutend kleiner, als er sein sollte. Der Schnüffler hatte also auch noch Benzin abgelassen!

Drehe die Nadel auf deiner BENZINUHR um ein Farbfeld im Uhrzeigersinn weiter.

Weiter geht's bei 162

„Oje, mir ist gerade was eingefallen", seufzte Biggles, als sie das Sumpfgebiet hinter sich ließen. „Wir haben die Frau überhaupt nicht gefragt, *wo* der Wasserfall liegt!" Zu dritt spähten sie aus dem Flugzeug, in der Hoffnung, ihn irgendwo zufällig zu entdecken. Aber alles, was sie sahen, war ein großes, verlassenes Gebäude.

„Sieh doch mal, ob du es auf der Karte findest, Fred", bat ihn Biggles. „Dann kennen wir wenigstens unsere exakte Position."

Suche auf deiner LANDKARTE, in welchem Planquadrat das Gebäude liegt, und folge der Anweisung. Wenn du keine LANDKARTE in deiner FLUGZEUG-KARTE hast, musst du raten, bei welchem Abschnitt es weitergeht.

Bei A3	**weiter geht's bei 40**
Bei A2	**weiter geht's bei 272**
Bei B3	**weiter geht's bei 239**

„Du kannst weiterfliegen", sagte Fred zu Biggles und setzte enttäuscht das Fernglas ab. „Da unten muss ein Teil vom Riff sein. Deshalb ist das Wasser so dunkel. Ein Schiff ist es jedenfalls nicht!" Freds Vermutung bestätigte sich, als er wenige Sekunden später seinen Blick auf den Küstenstreifen vor ihnen richtete. Dort ragte unübersehbar ein Schiffsbug aus dem Wasser. Na endlich, *das Schiffswrack*!

Weiter geht's bei 186

122

„Es ist ein Plastikmodell!", rief Fred überrascht, nachdem er sein Fernglas auf den Flamingo gerichtet hatte. „Wenn auch ein ziemlich realistisches! Aber sein Gefieder glänzt einen Tick zu viel!" Sie wollten gerade zu dem Vogel hinüberlaufen, als Biggles einen Kompass auf dem Boden der Bambushütte entdeckte. Vielleicht hatte Wolff hier tatsächlich Schutz gesucht!

Wenn du noch keinen KOMPASS in deiner FLUGZEUG-KARTE hast, dann kannst du ihn dir jetzt holen.
Weiter geht's bei 14

123

Biggles hatte Recht. Dieser Teil der Bucht war tatsächlich ein geeigneter Landeplatz und die Maschine setzte ohne Probleme auf dem Wasser auf. Die drei Männer warteten noch einen Moment, bis das Flugzeug von den sanften Wellen ins seichte Wasser getrieben wurde. Dann wateten sie ans Ufer und rannten über den weißen Sandstrand bis zu der Stelle, die dem Schiffswrack unmittelbar gegenüberlag.

Mit dem PERSONENWÜRFEL bestimmst du, wer zuerst an der Stelle ankommt.

BIGGLES   weiter geht's bei 63
HENRY   weiter geht's bei 177
FRED   weiter geht's bei 241

124

Biggles zog gerade seinen Kompass aus der Tasche, als der alte Mann den Arm zum Himmel erhob. Er schien auf einige Wolken zu zeigen, die sich am Himmel gebildet hatten. Vielleicht wollte er ihnen sagen, dass sich ein Sturm zusammenbraute. Was auch immer es war, mit Wolff hatte es jedenfalls nichts zu tun. Sie winkten dem alten Mann noch einmal zum Abschied zu und traten den Rückweg zum Flugzeug an. Denn, falls *tatsächlich* ein Sturm aufzog, dann taten sie gut daran, sich zu beeilen!

Weiter geht's bei 106

Mit Hilfe ihres Kompasses wandten. sie sich gen Osten. Biggles zählte laut ihre Schritte. Sie passierten den Wasserfall und gelangten wieder hinaus bis unmittelbar hinter das Auffangbecken. Dort stießen sie auf einen weiteren Felsbrocken im feuchten Untergrund. Gebannt starrten sie auf den Stein. Keiner von ihnen rührte sich. War es möglich, dass die Pläne darunter lagen?

„Das ist doch lächerlich!", sagte Biggles schließlich und hob den Stein hoch. Henry und Fred hielten gespannt den Atem an, während Biggles nach der schmalen Metallröhre griff, die halb verdeckt in der Erde gesteckt hatte. „Kompliment, Kollegen!", rief Biggles, nachdem er den Deckel der Röhre aufgeschraubt und mehrere Papierrollen herausgezogen hatte. „Wir haben's geschafft. Es sind tatsächlich die Pläne!"

Kompliment auch an DICH. Du hast den Fall erfolgreich gelöst!

126

Als Henry in seine Innentasche nach Wolffs Kodierungsbuch griff, fegte plötzlich ein heftiger Windstoß durch die baufällige Bambushütte. Die Verpackung wirbelte über den Lehmboden durch die Tür. Hastig rannten sie hinterher. Erschrocken stoben die Flamingos in einer rosa Wolke vom Sumpf auf. Das heißt, alle bis auf einen. Der blieb wie angewurzelt stehen und rührte sich nicht!

„Wisst ihr was?", rief Biggles und näherte sich dem unerschrockenen Vogel um ihn genauer zu betrachten. „Der ist bestimmt nicht echt!"

Weiter geht's bei 14

„Da ist sie ja!", rief Fred und zeigte zwischen Biggles und Henrys Köpfen hindurch. „Am Horizont kann man ganz schwach einen gräulichen Hügel erkennen."

Doch so sehr sich Biggles und Henry auch anstrengten, sie konnten beim besten Willen nicht mehr als den Dunstschleier in der Ferne erkennen.

„Also entweder brauchen wir eine Brille", sagte Henry schmunzelnd, „oder du hast Halluzinationen, mein Freund! Und ich werde dir auch gleich sagen, welches von beiden zutrifft. Werfen wir doch mal einen Blick durchs Fernglas."

Lege dein FERNGLAS auf die vorgezeichnete Schablone, um einen genaueren Blick auf den Horizont zu werfen, und folge der Anweisung. Wenn du kein FERNGLAS in deiner FLUGZEUG-KARTE hast, geht's stattdessen bei 43 weiter.

```
G  S  E   HR   XE   PZU
D  Z  RWLWEXT I       I
S  SZFEC   RHNF   S
BFDÜF   NOFX   H   N
```

128

Während Fred seinen Kompass aus der Tasche zog, glitt Biggles' Blick über weitere umgestürzte Palmen am Strand. Und alle zeigten in die gleiche Richtung!

„Tut mir Leid, aber das spricht eindeutig gegen deine Pfeiltheorie, Fred", erklärte er. „So wie es aussieht, war es also doch nichts als ein heftiger Sturm. Es sei denn, du willst allen Ernstes behaupten, dass Wolff all diese Bäume gefällt haben soll."

Während Biggles das Flugzeug auf die eigentliche Insel zusteuerte, warf er einen prüfenden Blick auf die Benzinuhr. Sie hatten bereits ein Viertel ihres Treibstoffes verbraucht!

Drehe die Nadel auf deiner BENZINUHR um ein Farbfeld im Uhrzeigersinn weiter.
Weiter geht's bei 205

129

„Der Hafen befindet sich im Nordwesten der Insel", erklärte Fred seinen Kollegen. Während er die Landkarte wieder in seiner Jackentasche verstaute, fragte er sich laut, wann der Hafen wohl zum letzten Mal in Benutzung gewesen war.

„Den morschen Anlegestellen nach zu urteilen", bemerkte Henry, „muss das mindestens fünfzig Jahre zurückliegen! Ich möchte sogar behaupten, dass der Hafen seit dem letzten Jahrhundert ein eher ruhiges Dasein führt. Damals wurden von hier aus vielleicht Waren wie Zucker oder Bananen exportiert."

Weiter geht's bei 236

130

Henry ging seinen beiden Kollegen voraus. Zwei Stunden später erreichten sie den Berggipfel – die Mühe hätten sie sich sparen können –, denn dort oben gab es nicht die geringste Spur von den versteckten Plänen. Zerknirscht traten sie den Abstieg an, bis Biggles plötzlich innehielt. Er zeigte auf ihr Flugzeug in der Ferne.

„Schnüffelt da nicht jemand an unserer Maschine herum?", fragte er stirnrunzelnd und kniff die Augen zusammen. „Das muss ich mir durchs Fernglas ansehen."

Lege dein FERNGLAS auf die vorgezeichnete Schablone, um einen genaueren Blick auf das Flugzeug zu werfen, und folge der Anweisung. Wenn du kein FERNGLAS in deiner FLUGZEUG-KARTE hast, geht's stattdessen bei 258 weiter.

```
GRE     HR  XEZPU
     ERILMNXT   SSR
S   SZFEC   RHNF   S
BED  FÜIO  XNH  NS
```

131

„Hier steht: DIE PLÄNE SIND NICHT WEITER ALS ZWANZIG MEILEN VON HIER VERSTECKT!", erklärte Henry triumphierend, nachdem er die Nachricht auf der Tür mit Hilfe des Kodierungsbuches entschlüsselt hatte. „Na also! Auf genau so einen Hinweis haben wir doch die ganze Zeit gewartet!" Seine Begeisterung wurde etwas gedämpft, als ihn Biggles darauf hinwies, dass bei einem Radius von zwanzig Meilen immer noch fast die Hälfte der Insel als mögliches Versteck in Frage kam.

„Aber es ist immer noch besser als gar nichts", fügte Biggles auf dem Rückweg zur Lagune hinzu. „Natürlich wäre es schöner gewesen, wenn auf der Tür auch gestanden hätte, *in welcher Richtung* sich die Pläne befinden!"

Weiter geht's bei 106

132

„Also, es ist jedenfalls niemand Offizielles. Das steht schon mal fest!", erklärte Henry, während er den Hubschrauber durch sein Fernglas beobachtete. „Wäre er von der Feuerwehr oder der Armee, müsste er ein gutes Stück größer sein. Ich möchte fast sagen, das hier ist nur ein kleiner Brummer. Er gehört vermutlich einer Privatperson." Er setzte sein Monokel ab und polierte es nachdenklich. „Alles in Ordnung, Freunde!", beruhigte er die beiden andern, als er einen erneuten Blick durchs Fernglas warf. „Der Hubschrauber ist weg." Biggles hoffte nur, dass das auch so bleiben würde!

Weiter geht's bei 71

133

„Ich möchte wetten, dass das dort hinten der Sumpf ist!", rief Henry plötzlich und deutete nach rechts. „Seht ihr, in diese Richtung fliegt auch ein Schwarm Flamingos. Da, diese Ansammlung rosafarbener Punkte ungefähr zwei Meilen von hier!"

Biggles beschloss, die Flugrichtung nach den exotischen Vögeln auszurichten. Doch für den Fall, dass sie sie aus den Augen verloren, bat er Fred, ihre Flugrichtung mit dem Kompass festzustellen.

Lege deinen KOMPASS mit dem Zeiger auf Norden auf die vorgezeichnete Schablone, um die Flugrichtung der Vögel zu bestimmen. Weiter geht's bei der Ziffer, die im Fenster erscheint. Wenn du keinen KOMPASS in deiner FLUGZEUG-KARTE hast, musst du raten, bei welchem der unten angegebenen Abschnitte es weitergeht.

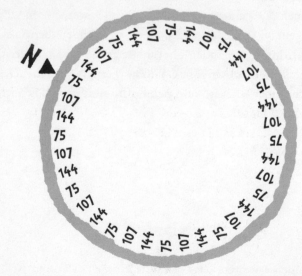

„Hat der Mann Ihnen gesagt, wie er heißt?", platzte Fred heraus. Die Frau schüttelte langsam den Kopf, doch dann fiel ihr Blick auf die wertvoll aussehende Uhr an ihrem Handgelenk. Sie streifte sie ab.

„Sein Name war Christen Hagen", sagte sie und deutete stolz auf die Gravur auf der Rückseite der Uhr. „Sehen Sie? Die hat er mir gegeben und ich musste ihm dafür versprechen, dass ich niemandem von ihm erzähle. Deshalb wusste ich auch, dass er nichts Gutes im Sinn haben konnte."

Die drei Männer blickten sich betreten an – der Name schien nichts mit Wolff zu tun zu haben … doch dann bemerkte Henry plötzlich, dass neben dem Namenszug noch etwas anderes eingraviert war. Keine Buchstaben, sondern Symbole!

Mit Hilfe der KODIERUNGS-KARTE kannst du die Symbole auf der Uhr entschlüsseln. Wenn du keine KODIE-RUNGS-KARTE in deiner FLUGZEUG-KARTE hast, geht's bei Abschnitt 61 weiter.

135

Henry stellte das Fernglas auf die Auster scharf und atmete erleichtert auf. Das Flugzeug war nach wie vor fest an den Palmen vertäut.

„Das muss an diesem verflixten Monokel liegen", brummte er und nahm es in die Hand, um es gründlich zu reinigen. „Vielleicht sollte ich mir ja doch mal ein neues leisten." Kurze Zeit später entdeckte Fred ein vergilbtes Notizbuch auf dem Boden. Neugierig bückte er sich danach und öffnete es vorsichtig.

„Wolff ist also auch hier entlanggegangen", erklärte er den andern. „Seht doch nur. Hier stehen wieder seine Geheimzeichen. Es gab also mehr als ein Exemplar."

Wenn du noch keine KODIERUNGS-KARTE in deiner FLUGZEUG-KARTE hast, dann kannst du sie dir jetzt holen.
Weiter geht's bei 50

136

Ehe Fred die Karte aufklappen konnte, gesellten sich Biggles und Henry zu ihm.

„Sieht aus, als wäre das mal eine richtige Schönheit gewesen, nicht wahr", bemerkte Henry mit Blick auf das Schiffswrack und polierte ehrfürchtig sein Monokel. „Ein zweimastiger Schoner, wenn ich mich nicht irre. Schätzungsweise rund fünfzig bis sechzig Jahre alt. Damals war dieser Schiffstypus in diesem Teil sehr verbreitet."

Weiter geht's bei 264

Henry war der Meinung, dass sie gar keine Landkarte benötigten. Es genüge doch, ihre Position mit dem Bordkompass zu bestimmen.

„Er zeigt Nordwesten", erklärte er. „Das heißt also, dass wir uns im Nordwesten der Insel befinden."

Weiter geht's bei 82

Henry zog gerade seine Kopie aus der Tasche, als Fred entsetzt aufschrie.

„Seht doch nur!", rief er und zeigte zu ihrem Flugzeug hinüber. „Da gehen ein paar Männer mit brennenden Ästen direkt auf unsere Maschine zu. Bestimmt wollen sie sie anzünden. Wir müssen schnell etwas unternehmen, sonst ist die Maschine verloren!"

Henry, Biggles und Fred sprangen augenblicklich in ihr

kleines Boot und ruderten wie die Teufel zum Ufer zurück. So schnell sie konnten, rannten sie zu ihrem Flugzeug …

Weiter geht's bei 97

„Liegt dort unten nicht ein umgedrehtes Boot im Sand?", rief Biggles, als sie am Küstenstreifen entlangflogen. Er schwenkte ruckartig nach links und kreiste über der Stelle. „Seht ihr, was ich meine? Die gräuliche Erhebung da unten. Das könnte doch der Kiel eines Ruderbootes sein. Wer weiß, vielleicht ist Wolff damit auf die Insel gekommen! Und wenn ja, dann gibt es dort vielleicht irgendeinen weiteren Hinweis." Er bat seine beiden Kollegen, einen Blick durchs Fernglas zu werfen, um seine Vermutung zu überprüfen.

Lege dein FERNGLAS auf die vorgezeichnete Schablone, um einen genaueren Blick auf die gräuliche Erhebung zu werfen, und folge der Anweisung. Wenn du kein FERN-GLAS in deiner FLUGZEUG-KARTE hast, geht's stattdessen bei 54 weiter.

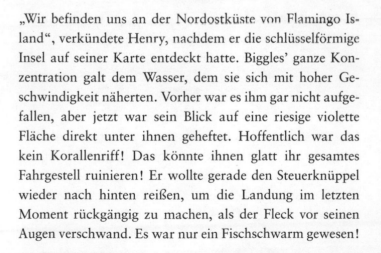

GED   HOEXZUP
NCZWFELO UTI NO
FCDEFÜNOY THF
BSDIFKEOBXEH NN

140

„Wir befinden uns an der Nordostküste von Flamingo Island", verkündete Henry, nachdem er die schlüsselförmige Insel auf seiner Karte entdeckt hatte. Biggles' ganze Konzentration galt dem Wasser, dem sie sich mit hoher Geschwindigkeit näherten. Vorher war es ihm gar nicht aufgefallen, aber jetzt war sein Blick auf eine riesige violette Fläche direkt unter ihnen geheftet. Hoffentlich war das kein Korallenriff! Das könnte ihnen glatt ihr gesamtes Fahrgestell ruinieren! Er wollte gerade den Steuerknüppel wieder nach hinten reißen, um die Landung im letzten Moment rückgängig zu machen, als der Fleck vor seinen Augen verschwand. Es war nur ein Fischschwarm gewesen!

Weiter geht's bei 201

141

„Es ist *tatsächlich* ein Motorboot!", rief Fred verdattert, als er das Fernglas scharf stellte. „Warum zum Kuckuck haben wir es dann vorhin nicht bemerkt? Bestimmt hat es sich absichtlich vor uns versteckt, um uns heimlich zu folgen!"

Henry machte eine abwehrende Handbewegung.

„Ich nehme stark an, dass es sich um einen harmlosen Touristen handelt, der von Jamaika aus einen Ausflug macht", bemerkte er mit hochgezogenen Augenbrauen. „Wie sollte *uns* denn irgendjemand folgen? Schließlich haben wir unseren Auftrag absolut geheim gehalten!"

Weiter geht's bei 228

142

„Tja Freunde, jetzt ist hier natürlich keiner mehr", keuchte Henry, als sie endlich an der Auster anlangten. „Mister X scheint abgehauen zu sein!"

Sie ließen sich keuchend am Ufer des Sees nieder, um Atem zu schöpfen, als Fred eine Filmrolle im Gras entdeckte. Als er den Filmstreifen gegen das Licht hielt, stellte er fest, dass eines der Negative exakt das gleiche Motiv abbildete wie ihr Foto von Flamingo Island. Am Rand des Negativs waren einige Symbole eingeritzt. Hastig griff er in seine Tasche nach seiner Kopie von Wolffs Kodierungsbuch.

114

Mit Hilfe der KODIERUNGS-KARTE kannst du die Symbole auf dem Negativ entschlüsseln. Wenn du keine KODIERUNGS-KARTE in deiner FLUGZEUG-KARTE hast, geht's bei Abschnitt 119 weiter.

143

„Na, was habe ich gesagt!", rief Henry triumphierend, nachdem er einen Blick in sein Kodierungsbuch geworfen hatte. „Es ist *tatsächlich* eine verschlüsselte Nachricht. Hier steht: PLÄNE BEFINDEN SICH RICHTUNG WESTEN!"

Unglücklicherweise lagen gut zwei Drittel der Insel westlich der Lagune, aber das war immerhin besser als gar nichts.

Weiter geht's bei 224

144

Bis Fred seinen Kompass in den Händen hielt, hatte Biggles das Flugzeug bereits nach dem Vogelschwarm ausgerichtet. Die Flamingos flogen jetzt direkt vor ihnen.

„Sieht so aus, als hättest du die Wette gewonnen, Henry",
bemerkte Biggles, nachdem sie den Vögeln einige Minuten
gefolgt waren. „Der Sumpf liegt direkt vor uns. Seht ihr, die
ersten landen schon." Während die Auster sich dem
Sumpfgebiet näherte, warf er einen kurzen Blick auf die
Benzinuhr. Die Position der Nadel gefiel ihm ganz und gar
nicht!

*Drehe die Nadel auf deiner BENZINUHR um ein Farbfeld
im Uhrzeigersinn weiter.*
Weiter geht's bei 22

145

Kurze Zeit später entdeckte Fred einen dunklen Fleck im
Wasser unter ihnen. Normalerweise war das Meerwasser
überall leuchtend türkis, der Fleck aber dunkelblau. Ob
dies von dem Schiffswrack herrührte? Der blaue Fleck
schien der Form eines Schiffes zu ähneln! Fred beschloss,
sein Fernglas zu Hilfe zu nehmen …

Lege dein FERNGLAS auf die vorgezeichnete Schablone,
um einen genaueren Blick auf den blauen Fleck zu werfen,
und folge der Anweisung. Wenn du kein FERNGLAS in
deiner FLUGZEUG-KARTE hast, geht's stattdessen bei
278 weiter.

```
G E Z        H O E X Z U P
N C E I F N L        U T S   N O
Z C D E F W E Ü Y    S H   I
B E D I F K N O S R    H   N
```

146

„Das ist ja hochinteressant!", murmelte Henry, während er
mit gerunzelter Stirn die Symbole entschlüsselte. „Hört
euch das mal an: AUSGEGEBEN AN GEHEIMAGENT
WERNER WOLFF. Offenbar ist es die Kamera, die er für
seine Arbeit beim gegnerischen Geheimdienst erhalten hat.
Sieht so aus, als hätte sich der Schlawiner nicht nur die
Pläne unter den Nagel gerissen!" Während sie ihren Weg
durchs Schilfgras fortsetzten, fragten sie sich, was Wolff
wohl mit der Kamera hier gemacht hatte.

„Höchstwahrscheinlich hat er mit ihr auch die Flamingos
fotografiert", sagte Biggles. „Und nachdem er den voll ge-
knipsten Film herausgeholt hat, hielt er es vermutlich für
das Klügste, sie loszuwerden."

Weiter geht's bei 50

147

„Da ist er ja, Freunde!", rief Henry mit dem Fernglas in der Hand. „Ungefähr drei Meilen rechts von uns. Man kann nur die Gischt über den Bäumen erkennen. Sieht ganz so aus, als wäre er nicht zu verachten."

Weiter geht's bei 153

148

Biggles bezweifelte, dass ihnen die Landkarte viel weiterhelfen würde.

„Selbst *wenn* die Wassertiefe der Lagune auf der Landkarte eingetragen ist", sagte er zu Fred, „wissen wir immer noch nicht, ob der Wasserpegel nicht je nach Jahreszeit schwankt. In einer sehr trockenen Zeit, wie wir es im Moment haben, könnte das Wasser beispielsweise erheblich gesunken sein." Er dachte einen Moment lang nach. „Ich schlage vor, wir fliegen einfach so nah wie möglich an die Lagune heran und überprüfen die Lage." Gesagt – getan. Allem Anschein nach war das Wasser *tatsächlich* tief genug. Und so war es auch … wenige Minuten später schaukelte die Auster unbeschadet auf dem blauen Wasser.

Weiter geht's bei 160

149

Fred ließ das Fernglas sinken, ehe er hindurchgeblickt hatte. Wie albern von ihm – jetzt war er schon genauso abergläubisch wie die Inselbewohner. Wie sollte dort denn jemand an Deck sein? Wahrscheinlich hatte er nur einen großen Vogel gesehen!

Weiter geht's bei 66

150

„Meint ihr, die Pläne sind *tatsächlich* nach siebzig Schritten versteckt?", fragte Henry und hielt erwartungsvoll den Atem an, während sie der vorgegebenen Richtung von Freds Kompass folgten. Wenige Augenblicke später wurde seine Frage beantwortet. Nach siebzig Schritten stießen sie auf eine große Metall-Box, die im schlammigen Wasser lag. Gemeinsam zerrten sie die Kiste aus dem Wasser und trugen sie gespannt zu einem trockenen Platz.

„Hoffentlich ist sie nicht verschlossen!", flehte Fred, während Biggles nach dem Deckel griff, um ihn zu öffnen. Die Kiste ließ sich widerstandslos öffnen. Und auch die Hoffnungen des Teams wurden nicht enttäuscht – denn in der Kiste befand sich nichts anderes als die gesuchten Pläne!

Bravo! Du hast den Fall erfolgreich gelöst!

„Sag bloß, du hast etwas entdeckt, mein Freund!", rief Henry, als Fred plötzlich nachdenklich die Stirn runzelte. „Worauf wartest du, rück schon raus mit der Sprache! Alles, was ich da unten erkennen kann, ist ein Sandstrand mit einer umgestürzten Palme." Genau diese Palme hatte Freds Interesse erregt. Mit ihren ausgebreiteten Blättern sah sie aus wie ein Pfeil!

„Vielleicht wurde die Palme gar nicht von einem Sturm, sondern von Wolff umgestürzt", meinte Fred aufgeregt. „Es könnte ein Hinweis darauf sein, in welcher Richtung man die Insel überfliegen muss, um zu den Plänen zu gelangen. Ich werde auf jeden Fall mal einen Blick auf meinen Kompass werfen."

Lege deinen KOMPASS mit dem Zeiger auf Norden auf die vorgezeichnete Schablone, um die Richtung der umgestürzten Palme zu bestimmen.
Weiter geht's bei der Ziffer, die im Fenster erscheint. Wenn du keinen KOMPASS in deiner FLUGZEUG-KARTE hast, musst du raten, bei welchem der unten angegebenen Abschnitte es weitergeht.

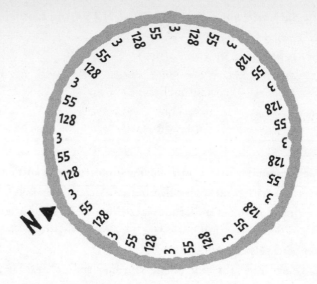

Biggles erklärte Fred, er solle die Landkarte stecken lassen. „Ich habe den alten Hafen auf der Karte gesehen, die man uns auf Jamaika gezeigt hat", sagte er. „Ich erinnere mich deshalb so gut daran, weil es eines der wenigen Anzeichen von Zivilisation auf der Insel war. Der Hafen liegt im Nordosten der Insel."

Während sie die Schiffsanlegestelle hinter sich ließen, warf Biggles einen kurzen Blick auf die Benzinuhr. Seit ihrem Abflug aus Jamaika hatten sie bereits ein Viertel ihres Treibstoffes verbraucht.

Drehe die Nadel auf deiner BENZINUHR um ein Farbfeld im Uhrzeigersinn weiter.
Weiter geht's bei 236

153

Kurze Zeit später kreiste die Auster unmittelbar über dem Wasserfall. Mit zusammengekniffenen Augen hielt Biggles nach einem geeigneten Landeplatz Ausschau. Sie hatten Glück – der Wasserfall mündete in einen Fluss, der sich schon bald verbreiterte.

„Wir gehen ungefähr eine Meile von hier runter", erklärte Biggles und drückte den Steuerknüppel sanft nach vorn.

„Näher ranzugehen halte ich für zu riskant. Wer weiß, welche Fließgeschwindigkeit der Fluss dort hat."

Weiter geht's bei 90

154

Die Beschreibung, die ihnen der Junge anschließend gab, passte haargenau auf Wolff: ein Mann mit einer runden Brille und einem blonden Schnurrbart! Doch was die drei noch viel mehr in Aufregung versetzte, war die Frage, die der Mann dem Jungen gestellt hatte.

„Er wollte wissen, ob es irgendeinen Teil der Insel gibt, vor dem ich mich fürchte", sagte der Junge. „Ich habe ihm von dem Schiffswrack erzählt. Ich habe ihm auch gesagt, dass jeder auf der Insel Angst davor hat und dass es darauf böse Geister gibt und niemand sich auch nur in seine Nähe wagt!"

Die drei dankten dem Jungen eilig und hasteten zum Flugzeug zurück. Sie waren felsenfest davon überzeugt, dass die Pläne im Schiffswrack versteckt sein mussten!

Mit dem PERSONENWÜRFEL bestimmst du, wer zuerst an der Maschine ankommt

BIGGLES   **weiter geht's bei 271**
HENRY   **weiter geht's bei 238**
FRED   **weiter geht's bei 83**

155

Während Fred seine Landkarte aufklappte, hoffte er insgeheim, dass das Sumpfgebiet zu klein sei, um auf der Karte eingezeichnet zu sein. Denn je größer es war, desto länger würden sie auch nach Spuren suchen müssen.

Weiter geht's bei 219

156

„Potzblitz, Biggles, du hast Recht!", rief Henry, als sie sich der Silhouette näherten. „Es ist tatsächlich eine Hütte! Wer weiß, vielleicht hat Wolff darin sogar Schutz gesucht. Auf dem Foto hier sieht es jedenfalls ziemlich stürmisch aus. Kommt schon", drängte er und lief los. „Die nehmen wir jetzt unter die Lupe!"

Mit dem PERSONENWÜRFEL bestimmst du, wer zuerst an der Hütte ankommt.

BIGGLES	weiter geht's bei 212
HENRY	weiter geht's bei 11
FRED	weiter geht's bei 39

157

„Der Pfeil deutet Richtung Nordwesten", erklärte Fred mit Blick auf seinen Kompass. Biggles betätigte augenblicklich das linke Ruderpedal und korrigierte ihre Flugrichtung nach Nordwesten.

Natürlich konnte die Anordnung der Steine immer noch purer Zufall sein. Und selbst, wenn jemand tatsächlich absichtlich einen Pfeil markiert hatte, hieß das noch lange nicht, dass ausgerechnet Wolff dahinter steckte. Aber in der gegenwärtigen Situation konnte man es den drei Ermittlern wohl kaum verdenken, dass sie jedem Hinweis nachgingen und sei er auch noch so zweifelhaft!

Weiter geht's bei 215

158

Rund zehn Meilen später stieß Fred plötzlich einen Schrei aus. „Was hast du denn, mein Freund?", erkundigte sich Henry neugierig. „Hast du was Interessantes entdeckt? Alles, was ich erkennen kann, ist eine ganz gewöhnliche Bananenplantage!" Aber genau das hatte Fred so sehr in Aufregung versetzt. Er hatte noch nie zuvor eine Bananenstaude gesehen!

„Außerdem können wir damit feststellen, wo wir uns jetzt befinden", sagte er und griff nach seiner Landkarte.

Suche auf deiner LANDKARTE, in welchem Planquadrat die Bananenplantage liegt, und folge der Anweisung. Wenn du keine LANDKARTE in deiner FLUGZEUG-KARTE hast, musst du raten, bei welchem Abschnitt es weitergeht.

Bei E3	weiter geht's bei 91
Bei E4	weiter geht's bei 173
Bei D3	weiter geht's bei 214

„Ich kann nichts erkennen!", meinte Fred, während sie zu dritt die Dünen mit ihren Ferngläsern absuchten. „Oder wartet mal", rief er plötzlich. „Ich glaube, da unten glitzert was in der Sonne." Nachdem auch seine Kollegen das Funkeln wahrgenommen hatten, landeten sie so nahe wie möglich an der Küste. Fred sprang rasch ins hüfthohe Wasser und eilte zu der Stelle hinüber, die er von der Luft aus entdeckt hatte.

„Es ist ein Kompass", erklärte er triumphierend, als er sich ins Flugzeug zurückhangelte. „Auf der Rückseite ist was eingraviert. Dreimal dürft ihr raten was! Wolffs Name!"

Wenn du noch keinen KOMPASS in deiner FLUGZEUG-KARTE hast, dann kannst du ihn dir jetzt holen.
Weiter geht's bei 236

160

„Tja, sieht ganz so aus, als wären wir umsonst gelandet!", seufzte Fred, als sie die Ansammlung von Bambushütten erreichten. „Hier ist keine Menschenseele!" Sie wollten gerade wieder zum Flugzeug zurückkehren, als Henrys Blick auf einige merkwürdige Symbole auf einer Hüttentür fiel.

„Wenn das mal keine verschlüsselte Nachricht ist!", rief er und griff hastig nach der Kopie von Wolffs Kodierungsbuch in seiner Innentasche. „Vielleicht hat sich die Landung ja doch gelohnt!"

Mit Hilfe der KODIERUNGS-KARTE kannst du die Symbole auf der Tür entschlüsseln. Wenn du keine KODIE-RUNGS-KARTE in deiner FLUGZEUG-KARTE hast, geht's bei Abschnitt 46 weiter.

161

„Ja, da ist tatsächlich jemand!", rief Biggles entsetzt, als er das Fernglas auf das Flugzeug gerichtet hatte. „Und so verdächtig, wie sich die Person verhält, ist es bestimmt kein harmloser Inselbewohner. Los, wir müssen so schnell wie möglich zum Flugzeug zurück!"

Weiter geht's bei 142

162

Zehn Meilen weiter gelangten sie wieder ans Meer.

„Ich wüsste zu gerne, wo wir uns jetzt befinden", murmelte Biggles, während er die Maschine nach links steuerte, um sich einen besseren Überblick zu verschaffen. „Die Küste scheint hier jedenfalls ziemlich tückisch zu sein. Seht euch nur mal diese Steilklippen und die drei spitzen Felsen im Wasser an. Die würden jedes Schiff glatt in Stück reißen!" Da die Felsen recht groß waren, bat Biggles Fred nachzusehen, ob er sie auf der Karte finden konnte.

Suche auf deiner LANDKARTE, in welchem Planquadrat die drei spitzen Felsen liegen, und folge der Anweisung. Wenn du keine LANDKARTE in deiner FLUGZEUG-KARTE hast, musst du raten, bei welchem Abschnitt es weitergeht.

Bei A2   weiter geht's bei 137
Bei A1   weiter geht's bei 21
Bei B1   weiter geht's bei 82

163

Ehe Fred die Karte aufgeklappt hatte, war die Auster auf dem Fluss gelandet. Es waren also keine Felsen im Wasser verborgen gewesen.

Biggles steuerte das Flugzeug so nahe wie möglich ans Ufer heran. Bevor er den Motor abstellte, streifte sein Blick die Benzinuhr. Ihr Treibstoffvorrat war schon erheblich gesunken!

Drehe die Nadel auf deiner BENZINUHR um ein Farbfeld im Uhrzeigersinn weiter. (Vergiss nicht: Wenn die Nadel das GEFAHR-Feld auf deiner BENZINUHR erreicht, musst du das Spiel sofort beenden und noch einmal von vorn beginnen.)
Weiter geht's bei 109

164

Sobald sie die Maschine gewissenhaft vertäut hatten – schließlich wollten sie nicht, dass das Flugzeug zum Meer abdriftete –, traten die drei Männer den zwei Meilen langen Fußmarsch zum Sumpfgebiet an.

Auf halber Strecke streifte Henrys Blick einen Gegenstand auf dem Boden. Eine Waffe! Vorsichtig – für den Fall, dass sie geladen war – hob er sie auf und betrachtete sie aufmerksam. Auf dem Lauf der Waffe entdeckte er einige Gravuren, die wie verschlüsselte Zeichen aussahen. Hastig griff er in seine Innentasche nach der Kopie von Wolffs Kodierungsbuch.

Mit Hilfe der KODIERUNGS-KARTE kannst du die Symbole entschlüsseln. Wenn du keine KODIERUNGS-

KARTE in deiner FLUGZEUG-KARTE hast, geht's bei Abschnitt 95 weiter.

165

„Was für ein ausgekochter Fuchs dieser Wolff doch war!", rief Henry, nachdem er die Botschaft auf der Flasche entschlüsselt hatte. „Hier steht: DIESER WHISKY ENTHÄLT TÖDLICHES GIFT! Wahrscheinlich trug Wolff ihn bei sich, für den Fall, dass ihm jemand Ärger machte." Fred ergriff für Wolff Partei und fragte, wie er denn überhaupt wissen könne, dass der Flachmann Wolff gehört habe.

„Ganz einfach, mein Freund. Siehst du die Initialen auf dem Verschluss?", erwiderte Henry mit einem triumphierenden Lächeln auf den Lippen. „W.W.!"

Weiter geht's bei 89

166

Die Frau legte ihre Hand auf Freds Arm zum Zeichen, dass sie keine Karte brauchte. Offenbar schien sie ihm mehr Vertrauen zu schenken als Henry.

„Der Wasserfall ist da drüben", erklärte sie ihm und deutete in die Ferne. „Sobald Sie wieder in der Luft sind, werden Sie ihn problemlos erkennen können."

Die drei Männer dankten der Frau für ihre Hilfe und kletterten flink in ihr Flugzeug zurück. Sie waren felsenfest davon überzeugt, dass Wolff die Pläne am Wasserfall versteckt hatte.

Weiter geht's bei 197

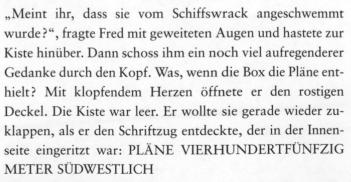

167

„Meint ihr, dass sie vom Schiffswrack angeschwemmt wurde?", fragte Fred mit geweiteten Augen und hastete zur Kiste hinüber. Dann schoss ihm ein noch viel aufregenderer Gedanke durch den Kopf. Was, wenn die Box die Pläne enthielt? Mit klopfendem Herzen öffnete er den rostigen Deckel. Die Kiste war leer. Er wollte sie gerade wieder zuklappen, als er den Schriftzug entdeckte, der in der Innenseite eingeritzt war: PLÄNE VIERHUNDERTFÜNFZIG METER SÜDWESTLICH

Eilig griff er in seine Jackentasche nach seinem Kompass.

131

Lege deinen KOMPASS mit dem Zeiger auf Norden auf die vorgezeichnete Schablone, um Südwesten zu bestimmen. Weiter geht's bei der Ziffer, die im Fenster erscheint. Wenn du keinen KOMPASS in deiner FLUGZEUG-KARTE hast, musst du raten, bei welchem der angegebenen Abschnitte es weitergeht.

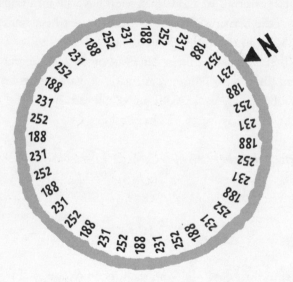

168

„Hey, ich glaube, ich hab was!", rief Biggles. Er deutete auf das türkisfarbene Wasser am westlichen Zipfel der Insel. „Wenn mich nicht alles täuscht, schwimmt doch da eine Boje im Wasser! Wer weiß, vielleicht hat Wolff die Pläne ja unter Wasser versteckt? In einer Flasche oder so was – und die Boje dient als Markierung!" Da Biggles keine Felsen in der Nähe entdecken konnte, beschloss er, an der Stelle zu landen, um einen genaueren Blick darauf zu werfen."

„Perfekt", meinte Henry und nickte anerkennend, als die Auster nur wenige Meter von der leuchtend gelben Boje entfernt im Wasser zum Halten kam. „Und es sieht ganz so aus, als könntest du mit deiner Vermutung tatsächlich Recht haben!", fügte er aufgeregt hinzu. Die Boje tanzte unruhig auf dem aufgewühlten Gewässer. „Wenn das keine Symbole auf der Boje sind! Bestimmt handelt es sich um eine kodierte Nachricht. Moment, wo habe ich denn nur die Kopie von Wolffs Kodierungsbuch?"

Mithilfe der KODIERUNGS-KARTE kannst du die Symbole entschlüsseln. Wenn du keine KODIERUNGS-KARTE in deiner FLUGZEUG-KARTE hast, geht's bei Abschnitt 16 weiter.

Dummerweise hatte Biggles das Stück Papier auf den Sand gelegt, während er sein Kodierungsbuch aus der Tasche zog … dummerweise deshalb, weil zu diesem Zeitpunkt eine kräftige Brise blies. Der Papierfetzen wurde prompt von einem Windstoß erfasst und durch die Luft gewirbelt, um schließlich weit weg im Wasser zu landen.

„Tja, bleibt uns nur zu hoffen, dass es nichts mit Wolff zu tun hatte", brummte Biggles, unwillig über seine Nachlässigkeit, während sie ins Flugzeug zurückstiegen. Ehe sie abhoben, warf er noch einen prüfenden Blick auf die Benzinuhr. Der Tank war nur noch drei viertel voll.

Drehe die Nadel auf deiner BENZINUHR um ein Farbfeld im Uhrzeigersinn weiter.
Weiter geht's bei 236

Biggles sagte Henry und Fred, sie sollten ihre Ferngläser ruhig stecken lassen. Solange sie durch die Gläser spähten, würde er sowieso im Kreis fliegen müssen und in dieser Zeit konnte er ebenso gut zu dem orangefarbenen Gegenstand hinabfliegen. Gesagt – getan.

„War wohl nichts mit der Schwimmweste, Fred", meinte Biggles, als sie in zwanzig Meter Abstand daran vorbeiflogen. „Es ist nur ein Plastikbehälter. Wahrscheinlich gehört er einem Inselbewohner, der darin Krebse oder irgendsowas aufbewahrt."

Während die Auster wieder in die Höhe kletterte, warf Biggles einen prüfenden Blick auf die Benzinuhr. Der Treibstoffvorrat war schon ein Viertel gesunken!

Drehe die Nadel auf deiner BENZINUHR um ein Farbfeld im Uhrzeigersinn weiter.
Weiter geht's bei 4

171

„Kannst du noch einmal an den Höhleneingängen vorbeifliegen", bat Henry nach ihrem dritten Tiefflug. „Mir war so, als hätte ich über einer der Höhlen einen grünlichen Pfeil gesehen." Biggles wendete die Maschine ein weiteres Mal und drückte den Steuerknüppel nach vorn.

„Da, seht ihr ihn?", rief Henry einige Sekunden später. „Dort über dem linken Höhleneingang, er ist ungefähr einen Meter lang. Den hat bestimmt Wolff dorthin gepinselt, um die Flugrichtung zu markieren."

Fred nickte aufgeregt und suchte in seiner Tasche nach dem Kompass …

Lege deinen KOMPASS mit dem Zeiger auf Norden auf die vorgezeichnete Schablone, um die Pfeilrichtung zu bestimmen. Weiter geht's bei der Ziffer, die im Fenster er-

scheint. Wenn du keinen KOMPASS in deiner FLUG-ZEUG-KARTE hast, musst du raten, bei welchem Abschnitt es weitergeht.

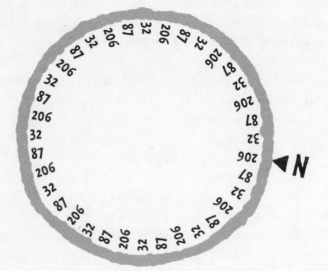

„Der gute Mann zeigt in Richtung Südwesten", erklärte Biggles seinen Kollegen. „Ich bin zwar alles andere als sicher, dass er meine Frage überhaupt verstanden hat, aber es kann nichts schaden, in dieser Richtung weiterzufliegen." Die drei winkten dem Mann noch einmal zu und machten sich auf den Rückweg zu ihrer Maschine. Unterwegs fiel Freds Blick auf eine zerfledderte Landkarte auf dem Boden. Vielleicht war Wolff ja doch hier durchgekommen!

Wenn du noch keine LANDKARTE in deiner FLUG-ZEUG-KARTE hast, dann kannst du sie dir jetzt holen.
Weiter geht's bei 106

173

Eine Stunde war vergangen, seit sie die Insel erreicht hatten. Nachdem sie zuerst in nördliche Richtung geflogen waren, hatten sie sich jetzt den Westen der Insel vorgenommen. Doch es war immer noch nichts Auffälliges zu entdecken. Freds Blick fiel auf einen zerklüfteten, bläulich schimmernden Berg, der vor ihnen auftauchte. Auf dem Gipfel ragte ein großes Holzkreuz in den Himmel. Vermutlich zum Zeichen, dass dies der höchste Punkt der Insel war.

„Wenn *ich* hier etwas verstecken wollte", verkündete er aufgeregt, „dann würde ich mich bestimmt für den Gipfel entscheiden!"

Weiter geht's bei 232

174

Biggles wollte gerade einen Blick auf seinen Kompass werfen, als sie ein Geräusch zu ihrer Linken plötzlich zusammenzucken ließ. Ohne zu zögern rannten sie in die Richtung, aus der das Geräusch kam. Wenn das nicht der Klang eines startenden Flugzeugmotors war – und zwar nicht nur irgendeines Flugzeugs, sondern einer Auster!

„Da versucht jemand unsere Maschine zu klauen!", rief Fred verzweifelt. „Hoffentlich erreichen wir sie noch rechtzeitig, sonst sitzen wir hier fest!"

Weiter geht's bei 98

175

„Wie sah der Mann aus?", fragte Biggles. „Hatte er eine runde Brille und einen blonden Schnurrbart?" Als die Frau nickte, stellte er ihr sofort die nächste Frage – *wo* war der Wasserfall?

„Diese Richtung", antwortete sie und deutete mit dem Finger vom Sumpfgebiet weg. „Viele, viele Meilen!" Biggles griff sofort in seine Tasche nach seinem Kompass.

Lege deinen KOMPASS mit dem Zeiger auf Norden auf die vorgezeichnete Schablone, um die Richtung zu bestimmen.

Weiter geht's bei der Ziffer, die im Fenster erscheint. Wenn
du keinen KOMPASS in deiner FLUGZEUG-KARTE hast,
musst du raten, bei welchem Abschnitt es weitergeht.

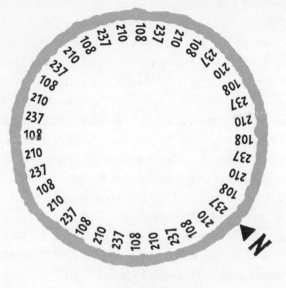

176

Der große Felsblock war *tatsächlich* auf Freds Karte eingezeichnet. Er befand sich im Südwesten der Insel.

„Ich frage mich, wie der da hingekommen ist", sagte Fred,
während die Küstenlinie unter ihnen plötzlich nach Norden
abknickte und Biggles ihre Flugrichtung korrigierte. „Die
Bucht sieht nach einem richtigen feinen Sandstrand aus.
Der Felsen passt da überhaupt nicht hin!" Achselzuckend
steckte er die Karte wieder in seine Tasche zurück. „Aber

139

ich nehme an, es gibt auf der Erde noch viel merkwürdigere Landschaftsphänomene!"

Weiter geht's bei 145

Henry erreichte die Stelle als Erster, seine Kollegen folgten dicht hinter ihm.

„Es ist ein kleiner Schoner", meinte Biggles, während sie zu dem vierhundert Meter entfernten Segelschiff hinüberspähten. „Ein Zweimaster. Und seinem Zustand nach zu urteilen, liegt er schon mindestens fünf Jahre hier." Fred machte ein paar Schritte nach rechts, um das Wrack aus einem anderen Blickwinkel zu betrachten. Dabei stieß er mit dem Fuß gegen eine Metallröhre, die halb im Sand vergraben war.

„Sieht so aus, als wäre da was drin", rief er aufgeregt, als er den Schraubverschluss an einem Ende entdeckte. „Und hier auf der Seite ist eine verschlüsselte Nachricht eingeritzt!" Hastig griff er in seine Tasche nach der Kopie von Wolffs Kodierungsbuch.

Mit Hilfe der KODIERUNGS-KARTE kannst du die Symbole entschlüsseln. Wenn du keine KODIERUNGS-KARTE in deiner FLUGZEUG-KARTE hast, geht's bei Abschnitt 274 weiter.

<{? [▲> @□

„Das da unten sieht eigentlich ganz gut aus", sagte Biggles und deutete nach rechts, nachdem sie einige Meilen an der Inselküste entlanggeflogen waren. Genau genommen gehörte die Bucht, die er meinte, gar nicht zur eigentlichen Insel, sondern zu einer kleinen vorgelagerten Insel, die etwa eine halbe Meile von der Küste entfernt lag. Der Umriss der Mini-Insel ähnelte der eines Schlüssels und Biggles hoffte, dass sie vielleicht auch noch in anderer Hinsicht aufschlussreich sein würde!

Während sich die Maschine langsam der Bucht näherte, beschloss Henry, auf der Karte nach der schlüsselförmigen Insel zu suchen. Dann wüssten sie wenigstens, wo sie sich genau befanden.

Suche auf deiner LANDKARTE, in welchem Planquadrat die schlüsselförmige Insel liegt, und folge der Anweisung. Wenn du keine LANDKARTE in deiner FLUGZEUG-KARTE hast, musst du raten, bei welchem Abschnitt es weitergeht.

Bei D1	weiter geht's bei 44
Bei E1	weiter geht's bei 140
Bei E2	weiter geht's bei 251

179

Biggles erklärte, dass ihre Aussicht auf Erfolg weitaus größer sei, wenn sie den Strand *zu Fuß* erkundeten. Also ließ Henry das Fernglas sinken und Biggles lenkte die Auster langsam Richtung Küste. Eine Stunde lang suchten sie den Strand ab – vergebens –, nicht einmal einen Zigarettenstummel fanden sie!

„Vielleicht", seufzte Biggles, während sie wieder ins Cockpit kletterten, „haben wir im Landesinneren mehr Glück!"

Weiter geht's bei 236

180

„Das Fernrohr unseres Kumpanen zeigt genau nach Norden", erklärte Henry mit Blick auf seinen Kompass. „Ich meine, dass wir dieser Richtung folgen sollten."

Biggles hielt Henrys Theorie zwar für gewagt, doch sie konnten genauso gut in nördlicher Richtung weiterfliegen!

Weiter geht's bei 103

„Wenn ich mich nicht täusche, ist die nächstliegende Wasserfläche neben dem Dorf diese Lagune hier", meinte Henry und zeigte auf Biggles' Seite hinüber. „Das heißt, dass wir einen kleinen Fußmarsch von ein paar Meilen in Kauf nehmen müssen." Biggles nickte und steuerte die Auster zu der Lagune. Das Wasser spritzte, als die Kufen aufsetzten.

„Lass den Motor noch an!", rief Henry plötzlich, als Biggles die Maschine abstellen wollte. „Da hinten schwimmt ein Stück Holz mit Symbolen darauf. Bestimmt ist es eine verschlüsselte Nachricht." Hastig griff er in seine Jackentasche nach der Kopie von Wolffs Kodierungsbuch, während Biggles die Maschine noch einige Meter vorwärts steuerte.

Mit Hilfe der KODIERUNGS-KARTE kannst du die Symbole entschlüsseln. Wenn du keine KODIERUNGS-KARTE in deiner FLUGZEUG-KARTE hast, geht's bei Abschnitt 93 weiter.

182

„Ich glaube, ich muss mir ein neues Monokel zulegen!",
rief Henry, nachdem er das Fernglas auf den See scharf gestellt hatte. „Da unten liegt unsere Auster, daran gibt es
überhaupt keinen Zweifel." Die Männer atmeten erleichtert auf und machten sich an den Abstieg, der glücklicherweise weitaus weniger beschwerlich als der Aufstieg war.
„Tut mir Leid. Die Mühe hätten wir uns sparen können",
entschuldigte sich Fred, als sie schließlich wieder abhoben.

Weiter geht's bei 162

Weiter geht's bei 162

183

Biggles kreiste weiter über der Lichtung, während Henry
sein Fernglas auf das Bündel fokusierte.
„Ist es nun ein Fallschirm oder nicht?", fragte Fred ungeduldig. „Wenn ja, dann hat Wolff vielleicht ein Notizbuch
oder so was ganz in der Nähe deponiert! Dann wären wir
schon bald am Ziel unserer Suche …"
„Ich muss dich leider enttäuschen, mein Freund. Es ist kein
Fallschirm", sagte er mit einem leicht verlegenen Lächeln
auf den Lippen. „Da unten stehen Bananenstauden. Und
das sind nur Bananen!

Weiter geht's bei 48

Weiter geht's bei 48

„Irgendwo am rechten Ufer", schlug Henry vor. „Auf dieser Seite befindet sich nämlich auch das Sumpfgebiet. Andernfalls müssten wir den Fluss irgendwie überqueren."
Während Biggles die Auster zum rechten Flussufer lenkte, beschloss Fred, auf seiner Landkarte nach der Flussmündung zu suchen. Er wollte sicher gehen, dass nicht irgendwelche verborgenen Felsen im Wasser lauerten.

Suche auf deiner LANDKARTE, in welchem Planquadrat der Fluss ins Meer mündet, und folge der Anweisung. Wenn du keine LANDKARTE in deiner FLUGZEUG-KARTE hast, musst du raten, bei welchem Abschnitt es weitergeht.

Bei C4   weiter geht's bei 84
Bei B4   weiter geht's bei 163
Bei A4   weiter geht's bei 109

Fred suchte immer noch seine Landkarte nach dem Schiffswrack ab, als Biggles am Flugzeug anlangte und sich auf seinen Sitz schwang.
„Tut mir Leid, Jungs", erklärte er keuchend, während er den Motor startete, „aber mir ist plötzlich eingefallen, dass

uns der Junge gar nicht gesagt hatte, wo das Wrack überhaupt liegt. Zuerst wollte der arme Kerl gar nicht damit herausrücken und hat mich angefleht, dort wegzubleiben. Aber schließlich hat er's doch noch ausgespuckt. Allerdings nicht umsonst", fügte er schmunzelnd hinzu. „Ich musste ihn mit meinem Kompass bestechen!"

Wenn du bereits einen KOMPASS in deiner FLUGZEUG-KARTE hast, musst du ihn jetzt leider wieder abgeben.
Weiter geht's bei 86

186

Inzwischen kreisten sie unmittelbar über dem Schiffswrack. „Ich möchte lieber nicht zu nahe landen", meinte Biggles nachdenklich, während er das dahinter liegende Wasser nach einer sicheren dunkelblauen Stelle absuchte. „Ich vermute nämlich, dass das Schiff gesunken ist, weil es dort verborgene Felsen im Wasser gibt. Und wir wollen schließlich nicht das gleiche Schicksal erleiden, nicht wahr!" Er hob die Hand schützend an die Augen, um sie gegen das glitzernde Wasser abzuschirmen. „Das da drüben sieht mir doch wie ein vernünftiger Landeplatz aus", sagte er schließlich zufrieden und drückte den Steuerknüppel nach vorne, um das Flugzeug nach unten zu steuern. „Da hinten, ungefähr eine drei viertel Meile weiter!"

Weiter geht's bei 123

„Mensch, wir sind vielleicht Trottel!", entfuhr es Biggles. „Wisst ihr, wo wir mit unserer Suche hätten anfangen sollen? Natürlich genau da, wo das Foto mit dem Flamingo gemacht wurde: im Sumpf! Das muss zwar nicht gleich heißen, dass die Pläne auch dort versteckt sind, aber zumindest wissen wir mit Sicherheit, dass Wolff dort war. Wer weiß, vielleicht hat er dort eine Spur hinterlassen."

Henry und Fred nickten eifrig. Ihre Laune besserte sich schlagartig. Jetzt mussten sie nur noch herausfinden, in welcher Richtung das Sumpfgebiet lag!

Mit dem PERSONENWÜRFEL bestimmst du, wer die Antwort weiß.

BIGGLES	**weiter geht's bei 259**
HENRY	**weiter geht's bei 133**
FRED	**weiter geht's bei 36**

Henry sagte zu Fred, er könne sich die Mühe mit dem Kompass sparen.

„Überleg doch mal, mein Freund", erklärte er. „Vierhundertundfünfzig Meter … das entspricht ungefähr der Entfernung des Schiffswracks. Dabei kann es sich also nur um Südwesten handeln!"

147

Weiter geht's bei 264

189

„Na also!", rief Henry erfreut, als er die flaschenförmige Insel auf der Karte entdeckte. „Sie liegt direkt vor dem südöstlichen Zipfel von Flamingo Island. Ihr Name lautet *Rum-Bottle Island*, die Rumflascheninsel! Den haben ihr bestimmt Piraten gegeben! Die kann man sich hier wahrlich gut vorstellen, oder?"

Die anderen beiden blickten auf den weißen Sandstrand, die grünen Palmen und die zahlreichen Buchten und nickten zustimmend. Ja, Piraten konnten sie sich hier allemal vorstellen!

Weiter geht's bei 275

190

„Ich selbst hätte es nicht besser machen können, mein Freund!", meinte Henry anerkennend, als die Auster nach einer perfekten Landung sanft übers Wasser glitt. „Allerdings bezweifle ich, dass wir hier auf etwas Interessantes stoßen werden. Auf diese verflixten Sanddünen zu starren ist weiß Gott nicht gerade inspirierend!" Biggles blieb jedoch optimistisch und erklärte, vielleicht entdeckten sie ja etwas, das Wolff am Strand verloren habe. Selbst wenn es nur eine leere Wasserflasche und nicht gleich die Pläne wären, wüssten sie wenigstens, dass sie am richtigen Ort suchten.

„Ich verstehe, was du meinst", nickte Henry schon zuver-
sichtlicher. „Dann wollen wir doch mal einen Blick durchs
Fernglas auf den Strand werfen."

*Lege dein FERNGLAS auf die vorgezeichnete Schablone,
um einen Blick auf den Strand zu werfen, und folge der
Anweisung. Wenn du kein FERNGLAS in deiner FLUG-
ZEUG-KARTE hast, geht's stattdessen bei 179 weiter.*

```
GEZ        HOEXZUP
NCEIFNL      UTS    NO
FZDWFÜNRY    SI    F
DNDEFKUO     RNH   N
```

191

„Ich fürchte, unser gemeinsamer Freund war ein kleiner
Scherzbold", erklärte Henry, nachdem er die von Fred nie-
dergekritzelten Symbole entschlüsselt hatte. „Hier steht:
HABT IHR WIRKLICH GEGLAUBT, ICH MACHE
ES EUCH SO EINFACH? VOR EUCH LIEGEN
NOCH VIELE MEILEN!" Biggles schien sich als Einzi-
ger der drei nicht über den schlechten Scherz zu ärgern.

„Zumindest wissen wir jetzt mit Sicherheit, dass er hier war", meinte er lakonisch.

Weiter geht's bei 218

192

Fred marschierte zielstrebig auf den Fuß des Berges zu. Er hatte es so eilig, dass seine Kollegen kaum mit ihm Schritt halten konnten. Als der Aufstieg eine Stunde später immer beschwerlicher wurde, verlangsamte sich sein Tempo allmählich.

„Wie weit ist es denn *noch* bis zum Gipfel, zum Kuckuck!", stieß er keuchend zwischen den Zähnen hervor. „Dieser blöde Berg ist viel höher, als er aussieht!"

In diesem Moment fiel Biggles ein, dass er eine Landkarte bei sich trug. Darauf musste die Höhe des Berges eigentlich eingetragen sein.

Suche auf deiner LANDKARTE, in welchem Planquadrat der Berg mit dem Gipfelkreuz liegt, und folge der Anweisung. Wenn du keine LANDKARTE in deiner FLUGZEUG-KARTE hast, musst du raten, bei welchem Abschnitt es weitergeht.

Bei B1   weiter geht's bei 244
Bei C1   weiter geht's bei 268
Bei C2   weiter geht's bei 208

193

Biggles war gerade im Begriff, seine Landkarte aufzuschlagen, als er plötzlich aufhorchte.

„Was hast du denn?", erkundigte sich Henry. Biggles stürzte wortlos zur Bucht zurück. Er hatte das aufgeschreckte Geschrei von Vögeln gehört und plötzlich befürchtet, es könnte jemand um ihr Flugzeug herumschleichen.

„War zum Glück nur blinder Alarm", erklärte er seinen Kollegen, als sie zu ihm traten. „Und ich dachte schon, wir hätten ungebetene Gäste!" Aber war es *tatsächlich* blinder Alarm gewesen? Biggles war sich ganz sicher, dass er sein Fernglas im Flugzeug zurückgelassen hatte, doch jetzt konnte er es nirgendwo finden!

Wenn du bereits ein FERNGLAS in deiner FLUGZEUG-KARTE hast, dann musst du es jetzt leider wieder abgeben.
Weiter geht's bei 106

194

Schließlich standen die drei Männer wieder am Fuß des Berges. In welcher Richtung befand sich nun ihr Flugzeug? Von weiter oben hatten sie die Maschine die ganze Zeit über im Blickfeld gehabt, doch jetzt versperrten ihnen eine Reihe hoch gewachsener Bäume die Sicht!

„Ihr beiden habt bestimmt nicht daran gedacht, dass wir von hier aus unser Flugzeug nicht mehr sehen würden, habe ich Recht?", bemerkte Biggles augenzwinkernd. „Ich schon! Auf dem Gipfel habe ich die Position der Auster mit dem Kompass überprüft. Sie befindet sich nordwestlich des Berges." Mit diesen Worten zog er seinen Kompass aus der Tasche, um ihre Marschrichtung zu bestimmen.

Lege deinen KOMPASS mit dem Zeiger auf Norden auf die vorgezeichnete Schablone, um Nordwesten zu bestimmen.
Weiter geht's bei der Ziffer, die im Fenster erscheint. Wenn du keinen KOMPASS in deiner FLUGZEUG-KARTE hast, musst du raten, bei welchem der angegebenen Abschnitte es weitergeht.

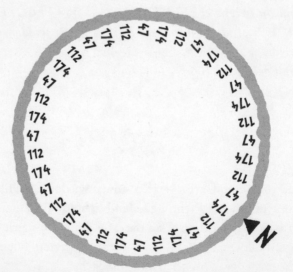

195

„Wir sind ein paar Meilen nördlich der Inselmitte", erklärte Fred, nachdem er die Zuckerrohr-Plantage auf der Karte gefunden hatte. Während er die Karte wieder zusammenfaltete, fragte er seine Kollegen nach dem Zweck der Öfen. „Das weiß ich auch nicht so genau. Ich glaube, darin wurde das Zuckerrohr gekocht", antwortete Biggles nachdenklich. „Soweit ich weiß, musste man die gewonnene Masse erst erhitzen, bevor man Zucker daraus machen konnte."

Weiter geht's bei 48

196

„Entschuldige, dass ich an dir gezweifelt habe, alter Junge", sagte Henry, nachdem er sein Fernglas scharf gestellt hatte. „Du hast vollkommen Recht. Es sind *tatsächlich* Flamingos. Wie es scheint, bin ich doch kein allzu guter Vogelexperte." Kurze Zeit später setzten die Flamingos zur Landung an ... Wieder sollte Biggles Recht behalten – ihr Ziel war das Sumpfgebiet!

Weiter geht's bei 261

Zehn Minuten später fehlte immer noch jede Spur von dem Wasserfall. Allmählich fragten sie sich, ob die Frau sie nicht absichtlich in die Irre geführt hatte.

„Wo ist bloß dieser verflixte Wasserfall?", rief Biggles missmutig, während er das Flugzeug hin- und herschwenkte. „Henry, sei so gut und wirf doch mal einen Blick durch dein Fernglas."

Lege dein FERNGLAS auf die vorgezeichnete Schablone, um nach dem Wasserfall zu suchen, und folge der Anweisung. Wenn du kein FERNGLAS in deiner FLUGZEUG-KARTE hast, geht's stattdessen bei 24 weiter.

```
G Z E        H O E X    Z P U
N C E I F N L        U T S    N O
V Z D W F I E R Y    S I    R
D S D I F K E O B R E H    N N
```

198

Henry ließ seinen Blick langsam durch das Fernglas über das türkisfarbene Wasser schweifen. Da entdeckte er plötzlich das Schiffswrack.

„Es befindet sich ungefähr zehn Meilen von hier", erklärte er. „Schätzungsweise vierhundert Meter von der Küste entfernt. Es ist kaum zu übersehen – über die Hälfte des Schiffrumpfes ragt aus dem Wasser!"

Weiter geht's bei 186

199

Fred fand auf seiner Landkarte *tatsächlich* das Wrack, und das Jahr, in dem das Unglück passiert war: 1937.

„Das Schiff liegt hier schon ganz schön lange", berichtete Fred seinen Kollegen, als sie sich zu ihm gesellten. „Da kann man nur hoffen, dass es ein Fracht- und kein Passagierschiff war. Dann sind wenigstens nicht ganz so viele Menschen ums Leben gekommen. Biggles bezweifelte allerdings, dass überhaupt jemand ernstlich in Bedrängnis geraten war. Der Schoner lag so dicht an der Küste, dass die Besatzung vermutlich problemlos an Land hatte schwimmen können.

155

Weiter geht's bei 264

Biggles erreichte als Erster das Ufer, seine Kollegen folgten direkt hinter ihm. Eilig schlugen sie den Weg flussaufwärts zum Wasserfall ein. Unterwegs streifte Henrys Blick einen kleinen rostigen Gegenstand auf dem Boden. Er war rechteckig und auf einer Seite mit einem Stöpsel verschlossen.

„Sieht aus wie ein Flachmann", rief er, während er die Flasche in den Händen drehte. „Ihr wisst schon, für Schnaps oder so was. Na, was haben wir denn hier – da ist ja was eingeritzt. Sieht aus wie eine verschlüsselte Botschaft!" Er griff in seine Tasche und holte Wolffs Kodierungsbuch heraus…

Mit Hilfe der KODIERUNGS-KARTE kannst du die Symbole entschlüsseln. Wenn du keine KODIERUNGS-KARTE in deiner FLUGZEUG-KARTE hast, geht's bei Abschnitt 211 weiter.

⟨?●▲⟩=]

Biggles steuerte die Auster langsam auf die Küste zu.

„Ah, tut das gut, endlich die alten Knochen auszustrecken", meinte Henry, als sie auf den weißen Sandstrand sprangen. Obwohl sie nicht ernsthaft damit rechneten, dort auf etwas zu stoßen, sahen sie sich, den Blick auf den Boden geheftet, ein bisschen in der Gegend um. Vielleicht hatte Wolff ja etwas verloren, das in irgendeiner Weise auf ihn hindeutete. Die Pläne würden es wohl kaum sein, aber vielleicht irgendein Indiz dafür, dass er *tatsächlich* auf dieser Insel gewesen war!

Weiter geht's bei 92

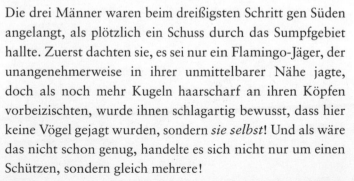

202

Die drei Männer waren beim dreißigsten Schritt gen Süden angelangt, als plötzlich ein Schuss durch das Sumpfgebiet hallte. Zuerst dachten sie, es sei nur ein Flamingo-Jäger, der unangenehmerweise in ihrer unmittelbarer Nähe jagte, doch als noch mehr Kugeln haarscharf an ihren Köpfen vorbeizischten, wurde ihnen schlagartig bewusst, dass hier keine Vögel gejagt wurden, sondern *sie selbst*! Und als wäre das nicht schon genug, handelte es sich nicht nur um einen Schützen, sondern gleich mehrere!

„Sie müssen irgendwo im Schilf versteckt sein!", rief Biggles und blickte sich hektisch um. „Anscheinend sind wir nicht die Einzigen, die sich für die Pläne interessieren! Hier können wir jedenfalls nicht bleiben. Wir müssen uns schleunigst in Sicherheit bringen. Los, gehen wir zur Maschine zurück! Wir kommen später noch einmal auf die Insel zurück … aber erst, wenn wir entsprechend bewaffnet sind!“

Leider konntest du den Fall nicht lösen. Wenn du es noch einmal versuchen willst, musst du wieder ganz von vorn beginnen. Wie wär's, wenn du dieses Mal mit einer anderen AUSRÜSTUNGS-KARTE startest? Dann hast du vielleicht mehr Glück!

203

Henry hatte gerade die Landkarte aus seiner Jackentasche gezogen, als etwas Unerwartetes geschah. Unmittelbar unter ihnen stob eine hellrosa Wolke von der Insel hoch. Flamingos! Hunderte von rosaroten Flamingos!

„Tja, ich glaube, du kannst dir die Mühe mit der Landkarte sparen, Henry“, schmunzelte Biggles, während sein Blick dem aufsteigenden Vogelschwarm folgte. „Ich denke, das ist Beweis genug, dass wir uns tatsächlich über Flamingo Island befinden.“ Henry steckte die Landkarte ungeöffnet in seine Jackentasche zurück. Aber wo war nur sein Kompass?

„Verflixt und zugenäht!“, knurrte er, nachdem er auch den

Flugzeugboden vergeblich danach abgesucht hatte. „Ich muss meinen Kompass auf Jamaika verloren haben!"

Wenn du bereits einen KOMPASS in deiner FLUGZEUG-KARTE hast, musst du ihn jetzt wieder abgeben.
Weiter geht's bei 275

204

Bis Fred seinen Kompass aus der Tasche gezogen hatte, lag die Insel schon viel klarer vor ihnen. Ihre grünen Konturen hoben sich deutlich vom blauen Meer ab. Als Fred den Kompass wieder in seine Tasche zurücksteckte, bemerkte er, dass seine Kopie von Wolffs Kodierungsbuch verschwunden war. „Mach nicht so ein entsetztes Gesicht, mein Freund!", sagte Henry augenzwinkernd. „Ich glaube kaum, dass sie jemand aus deiner Jackentasche stibitzt hat, falls das deine Sorge sein sollte. Wahrscheinlich ist sie dir einfach nur auf Jamaika herausgefallen, ohne dass du es bemerkt hast." Fred nickte und lächelte schwach. Doch insgeheim nagten die Zweifel an ihm. Er hatte doch die ganze Zeit darauf geachtet, dass der Reißverschluss der Tasche immer gut verschlossen war!

Wenn du bereits eine KODIERUNGS-KARTE in deiner FLUGZEUG-KARTE hast, dann musst du sie jetzt leider wieder abgeben.
Weiter geht's bei 256

Während sie sich der Küste von Flamingo Island näherten, beschloss Henry noch einmal einen Blick auf Wolffs Foto zu werfen und griff in seine Innentasche. Vielleicht gab es darauf ja doch noch einen Hinweis, etwas, was ihnen bisher entgangen war.

„Nein … nur ein dämlicher Flamingo im Schilf!", murmelte er kopfschüttelnd – plötzlich entdeckte er am unteren Bildrand etwas, das wie winzige Symbole aussah. Ob es eine verschlüsselte Botschaft war? Hastig griff er in seine Tasche nach der Kopie von Wolffs Kodierungsbuch.

Mit Hilfe der KODIERUNGS-KARTE kannst du die Symbole entschlüsseln. Wenn du keine KODIERUNGS-KARTE in deiner FLUGZEUG-KARTE hast, geht's bei Abschnitt 116 weiter.

206

Die Auster ließ die Höhlen hinter sich und flog ins Landesinnere. Unter ihnen überzog ein dichter Pflanzenteppich die Insel.

„Wir müssen aufpassen, dass uns nicht der Sprit ausgeht", sagte Biggles, nachdem sie einige Meilen der gleichförmigen Landschaft überflogen hatten. „Ich glaube kaum, dass wir in dieser Einöde eine Möglichkeit zum Tanken finden werden." Stirnrunzelnd warf er einen Blick auf die Benzinuhr. Der Treibstoff war schon wieder gesunken.

Drehe die Nadel auf deiner BENZINUHR um ein Farbfeld im Uhrzeigersinn weiter.
Weiter geht's bei 269

207

Auf Freds Karte waren zwei riesige Höhleneingänge im Südwesten der Insel eingezeichnet. Sein Blick glitt über die Landkarte. Gab es vielleicht noch andere Höhlen auf der Insel? Da er jedoch nichts anderes entdecken konnte, schloss er, dass sie sich tatsächlich im Südwesten befanden.

Weiter geht's bei 246

Endlich erreichten die drei Männer das Holzkreuz auf dem Berggipfel. Doch wenn die Pläne *tatsächlich* hier in der Nähe versteckt waren, dann gab es jedenfalls nichts, was darauf hindeutete. Keine ins Holz geritzten Geheimzeichen oder irgendwelche Anzeichen, dass jemand etwas vergraben hatte. Absolut nichts. Die drei kauerten sich einen Moment erschöpft auf den Boden, um vor dem Abstieg Atem zu schöpfen, als Henry entsetzt aufschrie. Er konnte ihr Flugzeug am Ende des Sees nicht mehr sehen!

„Ich weiß, dass es ziemlich weit weg ist", sagte er beklommen, während er hastig nach seinem Fernglas griff, „aber wenigstens als Fleck müsste man sie doch noch erkennen können!"

Lege dein FERNGLAS auf die vorgezeichnete Schablone, um einen genaueren Blick auf den See zu werfen, und folge der Anweisung. Wenn du kein FERNGLAS in deiner FLUGZEUG-KARTE hast, geht's stattdessen bei 34 weiter.

```
GZE    HOEX  ZPU
NCEIFNL    UTS  NO
AZDWFCHRYTSI
ZD  FKWOER  H  NI
```

209

Während Henry sein Fernglas an die Augen setzte, näherte sich die Auster dem Vogelschwarm. Jetzt konnte man ihre gebogenen Hälse und das rosafarbene Gefieder mit bloßem Auge erkennen. Es waren *tatsächlich* Flamingos!

„Seht doch nur, sie setzen zur Landung an", rief Biggles, ohne den Blick von den Vögeln abzuwenden. „Dann muss das da unten das Sumpfgebiet sein. Ja, dem Himmel sei Dank, das ist es!" Erleichtert betrachtete er das sumpfige Gelände, nachdem er zuvor einen kurzen Blick auf die Benzinuhr geworfen hatte. Die Nadel war bereits ein gutes Stück gesunken!

Drehe die Nadel auf deiner BENZINUHR um ein Farbfeld im Uhrzeigersinn weiter.
Weiter geht's bei 261

Die drei Männer verabschiedeten sich von der Frau und
kletterten wieder in ihr Flugzeug, um nach Nordwesten zu
fliegen. Wieder in der Luft beschloss Fred, auf der Landkarte nach dem Wasserfall zu suchen. Dann wussten sie wenigstens, wie groß er war.

*Suche auf deiner LANDKARTE, in welchem Planquadrat
der Wasserfall liegt, und folge der Anweisung. Wenn du
keine LANDKARTE in deiner FLUGZEUG-KARTE hast,
musst du raten, bei welchem Abschnitt es weitergeht.*

Bei C2	**weiter geht's bei 153**
Bei B2	**weiter geht's bei 110**
Bei B3	**weiter geht's bei 222**

211

Biggles erklärte Henry, sie könnten die Zeichen auf dem
Flachmann auch später entschlüsseln. Sie mussten so schnell
wie nur möglich zum Wasserfall! Mit raschen Schritten
setzte er den Weg am Flussufer fort. Vor lauter Eile glitt er
auf dem schlammigen Untergrund aus und sein Kompass
fiel ins trübe Wasser.
„Ich glaube, den bist du los, mein Freund", seufzte Henry,
als er ihm wieder auf die Beine half.

Wenn du bereits einen KOMPASS in deiner FLUGZEUG-KARTE hast, dann musst du ihn jetzt leider wieder abgeben.
Weiter geht's bei 89

212

Biggles erreichte die Hütte als Erster und trat durch die Tür aus Palmblättern. Interessiert sah er sich um. Genau genommen schien die gesamte Hütte aus geflochtenen Palmblättern zu bestehen – das Dach, die Wände und selbst der Boden!

„Sieht aus wie eine Art Beobachtungs-Hütte", meinte Biggles zu seinen Kollegen, die inzwischen neben ihn getreten waren. „Vielleicht um Flamingos zu beobachten. Von dem kleinen Fenster aus kann man Hunderte von ihnen sehen!"

Während sie einen Moment lang versunken auf die exotischen Vögel blickten, bemerkte Fred, dass einer von ihnen vollkommen regungslos dastand.

„Den sehe ich mir mal durchs Fernglas an", murmelte er nachdenklich. „Wenn das ein echter Flamingo ist, fresse ich einen Besen!"

Lege dein FERNGLAS auf die vorgezeichnete Schablone, um einen genaueren Blick auf den Flamingo zu werfen, und folge der Anweisung. Wenn du kein FERNGLAS in deiner FLUGZEUG-KARTE hast, geht's stattdessen bei 51 weiter.

```
GZE      HOEX  ZPU
NCEIFNL      UTS  NO
ZZDWFW  RÜ  SIEI
ZD  FKWOER  H  NI
```

213

Während Henry in seiner Jackentasche nach dem Kompass kramte, beschloss Biggles, einen genaueren Blick auf die Statue zu werfen, und drückte den Steuerknüppel nach vorn.

„Tut mir Leid, Henry. Aber ich glaube, dir ist deine Fantasie durchgegangen", bemerkte er augenzwinkernd, während er das Flugzeug so nahe wie nur möglich an den Kopf des steinernen Admirals heranflog. „Um ein solches Gewicht zu verschieben, bräuchte man mindestens ein halbes Dutzend Männer. Wolff allein hätte das jedenfalls niemals geschafft." Während Biggles die Auster wieder in die Höhe schraubte, warf er einen prüfenden Blick auf die Benzinuhr. Seit Jamaika waren sie fünfzig Meilen geflogen und hatten bereits ein Viertel ihres Treibstoffes verbraucht!

Drehe die Nadel auf deiner BENZINUHR um ein Farbfeld im Uhrzeigersinn weiter.

Weiter geht's bei 103

Laut Freds Landkarte lag die Bananenplantage im Süd-osten der Insel, rund zwölf Meilen von der Inselmitte entfernt. „Ich frage mich, ob die Plantage wohl noch bewirtschaftet wird", murmelte Biggles nachdenklich, während sie darüber hinwegflogen. „Wenn ja, dann gibt es dort vielleicht sogar jemanden, der Wolff gesehen hat." Im Moment bot die Plantage allerdings einen reichlich verlassenen Eindruck – es war weder ein Pflücker noch irgendein Fahrzeug zu sehen!

Weiter geht's bei 173

Die Auster kreiste immer noch über Flamingo Island, als Biggles plötzlich glaubte, ein kurzes Aufblitzen am Himmel über ihnen wahrgenommen zu haben. Ob es von einem anderen Flugzeug stammte, dessen Flügel einen Moment lang die Sonne reflektiert hatten? Biggles legte sorgenvoll die Stirn in Falten. Wurden sie verfolgt? Aber vielleicht war es ja gar kein Flugzeug … sondern nur Einbildung gewesen. Um jegliche Zweifel zu beseitigen, bat er Fred, mit seinem Fernglas den Himmel abzusuchen.

Lege dein FERNGLAS auf die vorgezeichnete Schablone, um einen genaueren Blick auf den Himmel zu werfen, und folge der Anweisung. Wenn du kein FERNGLAS in deiner FLUGZEUG-KARTE hast, geht's stattdessen bei 102 weiter.

GÜEHKEO R ZP U
BCZWFELRIST O
SCÜEMECSYHTH S
BSDEFKCOH SHPN

216

Biggles entdeckte als Erster etwas. Allerdings etwas, das eindeutig *dagegen* sprach, dass Wolff jemals in den Höhlen gewesen war!

„Ich glaube nicht, dass unser Freund die Pläne hier versteckt hat", erklärte er, als er eine erneute Runde vor den Höhlen drehte. „Seht euch doch nur mal das Gewässer hier an. Das ist viel zu gefährlich! Unmöglich mit einem Boot hier durchzukommen. Und die Klippen sind viel zu steil, um dort hinabzusteigen."

Während Biggles das Flugzeug ins Landesinnere steuerte, beschloss Fred, sich die Höhlen noch einmal auf seiner Landkarte anzusehen. Dann würden sie wenigstens genau wissen, über welchem Teil der Insel sie sich zur Zeit gerade befanden.

Suche auf deiner LANDKARTE, in welchem Planquadrat die Höhlen liegen, und folge der Anweisung. Wenn du keine LANDKARTE in deiner FLUGZEUG-KARTE hast, musst du raten, bei welchem Abschnitt es weitergeht.

Bei E3	**weiter geht's bei 207**
Bei E2	**weiter geht's bei 276**
Bei E1	**weiter geht's bei 246**

217

„Auf der Karte steht, dass die Lagune in der Mitte acht Meter und am Rand zwei Meter tief ist", berichtete Fred dem Piloten wenig später. „Wenn die Insel nicht gerade eine extreme Trockenzeit hinter sich hat, in der der Wasserpegel bedeutend gesunken ist, dann dürfte einer Landung eigentlich nichts im Wege stehen." Biggles lenkte die Maschine in

Richtung Lagune so nah ans Ufer wie nur möglich. „Na, dann ab ins kühle Nass!", witzelte er, als das Flugzeug kurz vor dem Schilf zum Stillstand kam.

Weiter geht's bei 160

Biggles war gerade im Begriff, die Höhlen hinter sich zu lassen und sich dem Landesinneren zuzuwenden, als ihm ein Gedanke durch den Kopf schoss. Nachdem sie die scherzhafte Botschaft entschlüsselt hatten, waren sie alle drei automatisch davon ausgegangen, dass die Höhlen als Versteck nicht in Frage kamen. Vielleicht war das nur ein ganz besonders schlauer Trick von Wolff!

„Ich finde, wir sollten trotzdem einen Blick in die Höhlen werfen", erklärte Biggles. Während er das Flugzeug noch einmal wendete, um ein weiteres Mal zu den Höhlen hinabzutauchen, bat er Henry und Fred, ihre Ferngläser bereitzuhalten. „Ich werde so nah wie nur möglich an die Eingänge heranfliegen, damit ihr einen guten Blick hineinwerfen könnt", sagte er.

Lege dein FERNGLAS auf die vorgezeichnete Schablone, um einen genaueren Blick in die Höhlen zu werfen, und folge der Anweisung. Wenn du kein FERNGLAS in deiner FLUGZEUG-KARTE hast, geht's stattdessen bei 277 weiter.

```
GÜEHKEO  R  ZP  U
BCEIF    LRNSTS  O
NCÜEMULSYLTH
BFDÜFKNOF      HP
```

219

Fred brütete immer noch über seiner Landkarte, als Biggles das Sumpfgebiet einige Meilen zu seiner Linken entdeckte. „Menschenskinder, da unten sind gut und gerne über hundert Flamingos!", rief er, während er die Maschine nach unten steuerte, um zu sehen, ob sie auch dort landen konnten. Als er sah, dass die Flamingos im Zentrum des Sumpfes recht tief im Wasser zu stehen schienen, beschloss er, dass es auch für sie ausreichen müsste.

Während er zur Landung ansetzte, streifte sein Blick die Benzinuhr. Sie hatten schon ganz schön viel Treibstoff verbraucht!

Drehe die Nadel auf deiner BENZINUHR um ein Farbfeld im Uhrzeigersinn weiter.
Weiter geht's bei 94

„Spar dir die Mühe mit dem Fernglas, Fred", erklärte Biggles über seine Schulter hinweg. „Ich überfliege mal kurz den Landesteg, dann könnt ihr ihn euch auch so ansehen." Er drückte den Steuerknüppel nach vorn und die Maschine tauchte bis auf zehn Meter Entfernung zur Anlegestelle hinunter.

„Von nahem macht er eigentlich einen ganz guten Eindruck", meinte Fred, während sie wieder in die Höhe kletterten. „Ich glaube, wir können es wagen." Wieder drückte Biggles den Steuerknüppel nach vorn, doch dieses Mal glitt das Flugzeug über das Wasser. Ehe er den Motor ausschaltete, warf er einen kurzen Blick auf die Benzinuhr. Der Treibstoff war schon wieder gesunken!

Drehe die Nadel auf deiner BENZINUHR um ein Farbfeld im Uhrzeigersinn weiter. (Vergiss nicht: Wenn die Nadel das GEFAHR-Feld auf deiner BENZINUHR erreicht, musst du das Spiel sofort beenden und noch einmal von vorn beginnen.)
Weiter geht's bei 230

Auf dem Weg zum Schiffswrack fiel Biggles' Blick auf ein Zigaretten-Etui, das Henry in den Händen hielt. Er schüttelte tadelnd den Kopf und erinnerte ihn daran, dass er sich das Rauchen doch abgewöhnen wollte.

„Das habe ich auch, mein Freund", erwiderte sein Kollege. „Eine grässliche Angewohnheit, diese Qualmerei! Aber das ist auch nicht mein Zigaretten-Etui – das hab ich vorhin im Sumpf gefunden. Das Metall ist schon ganz stumpf. Ich wollte gerade nachsehen, ob nicht vielleicht irgendein Name darauf eingraviert ist. Wolffs zum Beispiel!"

Henry drehte das Metallkästchen in seinen Händen, ohne Wolffs Namen darauf zu entdecken – dafür fand er einige Symbole auf dem Deckel des Etuis.

Mit Hilfe der KODIERUNGS-KARTE kannst du die Symbole entschlüsseln. Wenn du keine KODIERUNGS-KARTE in deiner FLUGZEUG-KARTE hast, geht's bei Abschnitt 38 weiter.

Bis Fred die Landkarte auf seinen Knien glatt gestrichen hatte, lag der Wasserfall schon gut sichtbar vor ihnen. Jetzt konnten sie sich selbst davon überzeugen, wie groß er war … nämlich RIESIG!

„Wow! Seht euch nur die Gischt an, die von ihm aufsteigt", sagte er. „Der muss mindestens zweihundert Meter hoch sein!" Doch Biggles' Aufmerksamkeit galt etwas ganz anderem – dem Schwinden ihres Treibstoffvorrats!

Drehe die Nadel auf deiner BENZINUHR um ein Farbfeld im Uhrzeigersinn weiter. (Vergiss nicht: Wenn die Nadel das GEFAHR-Feld auf deiner BENZINUHR erreicht, musst du das Spiel sofort beenden und noch einmal von vorn beginnen.)

Weiter geht's bei 153

Fred gelangte als Erster ans Ufer, seine Kollegen folgten dicht hinter ihm. Zielstrebig marschierten sie flussaufwärts immer dem Geräusch des Wasserfalls nach. Schon von weitem veranstaltete er ein ohrenbetäubendes Getöse! Nach einer halben Meile hatten sie ihn immer noch nicht zu Gesicht bekommen, da entdeckte Henry plötzlich ein Messer auf dem schlammigen Untergrund. „Dem Rost nach zu urteilen liegt das hier schon eine ganze Weile herum", bemerkte er und betrachtete es interessiert. „Potzblitz! Seht euch mal den Griff an. Da hat jemand Symbole hineingeritzt!" Eilig griff er in seine Jackentasche nach der Kopie von Wolffs Kodierungsbuch ...

Mit Hilfe der KODIERUNGS-KARTE kannst du die Symbole entschlüsseln. Wenn du keine KODIERUNGS-KARTE in deiner FLUGZEUG-KARTE hast, geht's bei Abschnitt 273 weiter.

224

Rund vierzig Minuten nach ihrer Landung auf der Lagune erreichten die drei Männer die armselige Ansammlung von Bambushütten. Zunächst glaubten sie, dass das ausgestorbene Dorf schon seit vielen Jahren unbewohnt sei, bis sie völlig unerwartet einem einsamen Mann begegneten, der sich im Schatten einer Hütte ausruhte und in seinem zahnlosen Mund eine Pfeife rauchte.

Weiter geht's bei 20

„Gütiger Himmel!", rief Henry, als sie endlich wieder an der Hüttentür anlangten. „Jemand hat die Kreidezeichen abgewischt!" Mit bleichem Gesicht drehte er sich zu Biggles um. „Vielleicht haben wir uns das Startgeräusch unserer Maschine doch nicht eingebildet, mein Freund, sondern es war nur ein mieser Trick, um uns von der Tür wegzulocken!" Nur für den Fall, dass es *wirklich* jemanden gab, der sie an der Nase herumführte, hielt es Biggles für das Beste, so rasch wie möglich zu ihrem Flugzeug zurückzukehren.

„Puh, sie ist immer noch hier", seufzte er zwanzig Minuten später erleichtert. Als er jedoch ins Cockpit kletterte, bemerkte er, dass seine Landkarte von seinem Sitz verschwunden war. Dabei hätte er schwören können, dass er sie dort zurückgelassen hatte!

Wenn du bereits eine LANDKARTE in deiner FLUG-ZEUG-KARTE hast, dann musst du sie jetzt leider wieder abgeben.
Weiter geht's bei 106

„Was meint ihr, ist das da hinten Land?", fragte Biggles kurze Zeit später und spähte zu dem bläulichen Dunstschleier am Horizont hinüber. „Ja, ich glaube, das ist es tatsächlich! Dabei kann es sich eigentlich nur um Flamingo Island handeln. Es sei denn, wir haben unseren Kurs verfehlt." Während sie sich der Landzunge näherten, suchten sie die Küstenlinie gemeinsam nach einem auffälligen Erkennungszeichen ab, das sie auf ihrer Landkarte wieder finden konnten. Nur so konnten sie sich ganz sicher sein, dass es sich tatsächlich um die gesuchte Insel handelte.

„Wie wär's mit der kleinen, flaschenförmigen Insel vor der Küste?", schlug Henry vor. „Seht ihr sie? Sie befindet sich ungefähr zwei Meilen vor der Insel. Sie ist zwar nicht sehr groß … aber wahrscheinlich gerade noch groß genug, um auf unserer Karte eingezeichnet zu sein."

Hast du eine LANDKARTE in deiner FLUGZEUG-KARTE? Wenn ja, finde heraus, in welchem Planquadrat die kleine, flaschenförmige Insel liegt und folge der Anweisung. (Vergiss nicht, die Karte hinterher wieder in deine FLUGZEUG-KARTE zurückzulegen.) Wenn du keine LANDKARTE hast, musst du raten, bei welchem Abschnitt es weitergeht.

Bei D4	**weiter geht's bei 203**
Bei D3	**weiter geht's bei 280**
Bei E4	**weiter geht's bei 189**

Biggles erklärte Fred, dass sie den Kompass wohl kaum brauchten.

„Sieh mal, da unten ist ein Pfad, der von der Bucht zum Dorf führt", sagte er, während er zur Landung ansetzte. „Ich werde versuchen, so nahe wie möglich daran zu landen, dann kann eigentlich nichts schief gehen."

Fünfzehn Minuten später folgten die drei Männer dem Pfad. Biggles hatte die Stirn in Falten geworfen. Er hoffte sehr, dass sie im Dorf endlich auf eine Spur stoßen würden. Vor ihrem Abmarsch hatte er einen prüfenden Blick auf die Benzinuhr geworfen und entsetzt festgestellt, wie wenig Treibstoff ihnen nur noch blieb!

Drehe die Nadel auf deiner BENZINUHR um ein Farbfeld im Uhrzeigersinn weiter.
Weiter geht's bei 33

Mittlerweile überflog die Auster einen Küstenstreifen der Insel. Unter ihnen ragten steile Felsklippen aus dem Wasser.

„Seht doch nur, da unten sind zwei riesige Höhlen!", rief Fred aufgeregt. „Also, wenn *ich* hier etwas verstecken wollte, dann würde ich mir die mal genauer ansehen!"

Biggles drückte den Steuerknüppel nach vorn und lenkte

die Maschine nach unten, damit sie einen näheren Blick auf die Höhlen werfen konnten. Während er so nah wie nur möglich an die finsteren Felsspalten heranflog, hielten sie mit zusammengekniffenen Augen nach irgendeiner Spur, die Wolf hinterlassen haben konnte, Ausschau!

Mit dem PERSONENWÜRFEL bestimmst du, wer etwas entdeckt.

BIGGLES	**weiter geht's bei 216**
HENRY	**weiter geht's bei 171**
FRED	**weiter geht's bei 69**

229

„Hab ich's mir doch gedacht!", rief Henry triumphierend, nachdem er die Symbole auf der Uhr mit Hilfe des Kodierungsbuches entschlüsselt hatte. „Hier steht ein ganz anderer Name – nämlich der unseres lieben Freundes Werner! Christen Hagen war offenbar einer seiner vielen Decknamen."

Das Team beschloss, sich sofort auf den Weg zum Wasserfall zu machen, und kletterte in die Auster zurück.

„Wir sind Ihnen sehr zu Dank verpflichtet!", rief Henry der Frau durchs Fenster zu, während Biggles die Maschine startete.

Weiter geht's bei 120

Kurz darauf hasteten die drei Männer am Flussufer entlang auf das Sumpfgebiet zu. Dieser Teil der Insel war nicht unbedingt der angenehmste – es wimmelte nur so von blutsaugenden Insekten! Während sie sich durchs Schilf kämpfen, stolperte Biggles plötzlich über einen Gegenstand.

„Na so was. Es ist ein Fotoapparat!", rief er überrascht und hob ihn auf. Als Henry das Fundstück in den Händen drehte, entdeckte er einige eingeritzte Symbole unter dem Verschluss der Kamera. Hastig griff er nach der Kopie von Wolffs Kodierungsbuch …

Mit Hilfe der KODIERUNGS-KARTE kannst du die Symbole entschlüsseln. Wenn du keine KODIERUNGS-KARTE in deiner FLUGZEUG-KARTE hast, geht's bei Abschnitt 9 weiter.

231

„Kann es sein, dass du etwas übersiehst, Fred?", fragte Biggles, während dieser hastig seinen Kompass aus der Tasche zog. „Diese Box kann sehr wohl abgedriftet sein, seit die Zeichen eingeritzt wurden. Jetzt die südwestliche Richtung einzuschlagen, könnte uns genauso gut in die Irre führen. Wenn du mich fragst, sollten wir uns trotzdem noch auf dem Schiffswrack da draußen umsehen!"

Weiter geht's bei 264

232

Biggles und Henry nickten zustimmend. Schließlich war der Berggipfel gar nicht so leicht zu erklimmen. Gab es ein besseres Versteck für die Pläne? Als sie sich dem Berg näherten, hielt Biggles nach einem geeigneten Landeplatz Ausschau.

„Ah, das ist genau das, was ich gesucht habe", bemerkte er zufrieden, als sein Blick auf einen kleinen See unter ihnen fiel. „Eine Nummer größer hätte zwar nicht geschadet, aber es wird schon gehen!" Das tat es auch und die Auster glitt tadellos über die glatte Wasseroberfläche und kam in der Nähe des Seeufers sanft zum Stehen. Die drei Männer sprangen geschwind aus dem Flugzeug und machten sich auf den Weg zum Gipfel …

181

Mit dem PERSONENWÜRFEL bestimmst du, wer voran-geht.

BIGGLES   weiter geht's bei 80
HENRY   weiter geht's bei 130
FRED   weiter geht's bei 192

233

Als Henry sein Kodierungsbuch aus der Tasche zog, gaben die morschen Planken plötzlich unter ihm nach! Glückli-cherweise war er geistesgegenwärtig genug, einen Satz zur Seite zu machen, andernfalls wäre er glatt ins Wasser gefal-len.

„Auf Wiedersehen, verschlüsselte Botschaft", murmelte Henry zerknirscht, während er dem davonschwimmenden Brett durch das Loch hinterherblickte.

Weiter geht's bei 243

234

„Das glaubt ihr mir nie!", rief Fred, während sie sich der Küste näherten. „Ich habe eine Schwimmweste entdeckt!" Henry zog ungläubig die Augenbrauen hoch … bis er den leuchtenden Gegenstand mit eigenen Augen sah. Für einen

Felsblock oder dergleichen war er jedenfalls viel zu grell. Was immer es auch sein mochte, einen Blick durchs Fernglas war es allemal wert.

Lege dein FERNGLAS auf die vorgezeichnete Schablone, um einen genaueren Blick auf den orangefarbenen Gegenstand zu werfen, und folge der Anweisung. Wenn du kein FERNGLAS in deiner FLUGZEUG-KARTE hast, geht's stattdessen bei 170 weiter.

GÜEHKEO R ZP U
BCZWIELRIST O
VCÜEMI SYETH R
BZDWFKEOI HP

235

Freds Herz begann wie wild zu klopfen. Ihm war plötzlich ein aufregender Gedanke gekommen. Was, wenn Wolff die Pläne in einem der Öfen versteckt hatte? Gerade als er seinen Kollegen von seinem Einfall erzählen wollte, entdeckte er neben einem Ofeneingang eine kleine Schweineherde. Gleichzeitig kamen aus einem anderen Ofeneingang ein paar Gänse herausgewatschelt. Die Inselbewohner schienen die verlassenen Gebäude als Unterkunft für ihre Tiere zu benutzen. Es wäre also bestimmt kein sicheres Versteck für Wolff gewesen.

Während die Zuckerrohr-Plantage ihrem Blick entschwand, sah Biggles auf die Benzinuhr. Der Treibstoffvorrat war schon wieder gesunken!

Drehe die Nadel auf deiner BENZINUHR um ein Farbfeld im Uhrzeigersinn weiter.
Weiter geht's bei 48

236

Die drei waren nun schon wieder seit über einer halben Stunde in der Luft und überflogen den Nordteil der Insel, als Biggles ein paar baufällige Hütten entdeckte.

„Sieht aus wie ein kleines Dorf", murmelte er nachdenklich. „Fragt sich nur, ob da noch jemand wohnt. Wenn ja, gibt es dort vielleicht sogar jemanden, der Wolff *gesehen* hat!" Er bat seine Kollegen, nach einem geeigneten Landeplatz Ausschau zu halten, damit sie sich das Dorf näher ansehen konnten …

Mit dem PERSONENWÜRFEL bestimmst du, wer einen Vorschlag macht.

BIGGLES   weiter geht's bei 57
HENRY   weiter geht's bei 181
FRED   weiter geht's bei 117

Als die Frau sah, dass Biggles seinen Kompass aus der Tasche holte, machte sie eine abwehrende Handbewegung.
„Sie brauchen keinen komplizierten Apparat, um den Wasserfall zu finden", sagte sie. „Fliegen sie einfach in Richtung Sonne." Da er die Frau nicht verletzen wollte, steckte er den Kompass wieder in die Tasche zurück. Dann bat er Henry, ihr zum Dank für ihre Hilfe sein Fernglas zu schenken. Damit konnte sie in Zukunft besser auf die Flamingos aufpassen!
„Es ist mir eine Ehre, Madam", sagte Henry und überreichte ihr das Fernglas mit einer höflichen Verbeugung.

Wenn du bereits ein FERNGLAS in deiner FLUGZEUG-KARTE hast, dann musst du es jetzt leider wieder abgeben.
Weiter geht's bei 210

Henry erreichte die Maschine als Erster und kletterte ins Cockpit. Nur wenige Sekunden nach ihm hangelte sich Fred auf seinen Platz.

Biggles hingegen ließ noch eine ganze Weile auf sich warten. Aus irgendeinem Grund war er noch einmal zu dem Jungen zurückgekehrt.

Während sie auf ihn warteten, beschloss Fred, auf seiner Landkarte nach dem Schiffswrack zu suchen.

Suche auf deiner LANDKARTE, in welchem Planquadrat das Schiffswrack liegt, und folge der Anweisung. Wenn du keine LANDKARTE in deiner FLUGZEUG-KARTE hast, musst du raten, bei welchem Abschnitt es weitergeht.

Bei B1   **weiter geht's bei 113**

Bei A1   **weiter geht's bei 185**

Bei A2   **weiter geht's bei 72**

„Hier ist es!", rief Fred, als er das Haus auf der Karte gefunden hatte. „Sieht aus, als hätte dort früher einmal ein Gouverneur oder so was gewohnt. Das würde zumindest die abgebrochene Fahnenstange auf der Vorderseite erklären. Aber ich nehme an, euch interessiert viel mehr, wie man vom Haus zum Wasserfall kommt. Ganz einfach, wir müssen 90° nach rechts fliegen."

Biggles befolgte Freds Anweisung auf der Stelle. Wenige Minuten später kam der Wasserfall in Sicht. Es waren noch rund sechs oder sieben Meilen zu fliegen.

Weiter geht's bei 153

240

„Meint ihr, wir sind endlich am Ziel?", fragte Fred mit klopfendem Herzen, als er den Kompass flach auf seine Hand legte. „Ob wir wohl die Pläne am Ende der siebzig Schritte finden werden?" Vor lauter Aufregung wollte es ihm gar nicht gelingen, seine Hand still zu halten und entsprechend unruhig tanzte die Kompassnadel hin und her.

„Komm, gib mal her", meinte Biggles schmunzelnd. „Na also", sagte er einige Sekunden später und zeigte nach rechts. „Nach Süden geht's hier lang!"

Weiter geht's bei 202

241

Fred erreichte die Stelle als Erster und spähte zu dem etwa vierhundert Meter entfernten Schiff hinüber. Es war nicht besonders groß – soweit er es beurteilen konnte, war es ein zweimastiger Schoner. Während er auf die anderen wartete, beschloss er, auf seiner Karte nachzusehen, ob das Wrack darauf eingetragen war. Wenn ja, fand er dort vielleicht auch eine Jahresangabe, wann es gesunken war ...

Suche auf deiner LANDKARTE, in welchem Planquadrat das Schiffswrack liegt, und folge der Anweisung. Wenn du keine LANDKARTE in deiner FLUGZEUG-KARTE hast, musst du raten, bei welchem Abschnitt es weitergeht.

Bei A4	weiter geht's bei 136
Bei A3	weiter geht's bei 52
Bei A2	weiter geht's bei 199

242

„Nun?", fragte Biggles ungeduldig, während Henry und Fred den leuchtend orangen Gegenstand durch ihre Ferngläser betrachteten.

„Ist es jetzt eine Schwimmweste oder nicht? Wie lange soll ich denn noch im Kreis fliegen?" Henry schüttelte enttäuscht den Kopf.

„Tut mir Leid, mein Freund. Es ist keine", erklärte er. „Es ist nur angeschwemmtes Seegras. In dieser Farbe habe ich es zwar noch nie gesehen – aber es ist trotzdem Seegras!"

Weiter geht's bei 4

Nachdem sie sich kurz am Hafen umgesehen hatten, kehrten Henry und Fred zu ihrem Piloten und der Auster zurück. Kaum waren sie ins Cockpit geklettert, hatte Biggles auch schon den Motor wieder angeworfen und schon flitzte die Auster über ihre Wasserstartbahn.

Während Biggles die Maschine dem Landesinnern zuwandte, beschloss Fred, auf seiner Landkarte nach dem alten Hafen zu suchen. Dann kannten sie wenigstens ihre exakte Position.

Suche auf deiner LANDKARTE, in welchem Planquadrat der Hafen liegt, und folge der Anweisung. Wenn du keine LANDKARTE in deiner FLUGZEUG-KARTE hast, musst du raten, bei welchem Abschnitt es weitergeht.

Bei D1   **weiter geht's bei 129**

Bei D2   **weiter geht's bei 236**

Bei C2   **weiter geht's bei 152**

„Hier steht, dass der Berg knapp über tausend Meter hoch ist", informierte Biggles seine Kollegen, nachdem er die Landkarte studiert hatte. „Ich schätze, dass wir schon mindestens siebenhundert davon erklommen haben. Bis zum

Gipfel kann es also nicht mehr allzu lange dauern." Fred wurde gerade von Gewissensbissen geplagt, dass er seine Kollegen womöglich auf eine falsche Fährte gelockt hatte, als er einen Kompass auf dem Boden entdeckte. Zwar gab es keinerlei Hinweise darauf, dass er Wolff gehört hatte, aber es bewies immerhin, dass *schon mal* jemand hier gewesen war.

Wenn du noch keinen KOMPASS in deiner FLUGZEUG-KARTE hast, dann kannst du ihn dir jetzt holen.
Weiter geht's bei 208

245

„VERSTECK DER PLÄNE IST VON HIER AUS SICHTBAR!", verkündete Biggles laut, nachdem er die Nachricht entschlüsselt hatte. Als er jedoch den Kopf hob und sich umblickte, stellte er fest, dass man von hier aus praktisch die komplette Insel überblicken konnte.

„Das scheint mal wieder einer von Wolffs Scherzen zu sein!", brummte Biggles missmutig, während sie sich an den Abstieg machten. „Jetzt sind wir genauso schlau wie vorher!"

Weiter geht's bei 194

Die Auster gelangte immer tiefer ins Landesinnere und das Blätterdach unter ihnen wurde immer undurchdringlicher. Doch das Team hatte immer noch keinen Hinweis auf Wolff entdeckt. Über einer der wenigen Lichtungen entdeckte Henry plötzlich ein gelbes Bündel auf dem Boden. „Potzblitz, ich glaube das könnte ein Fallschirm sein!", rief er. „Und wenn dem so ist, dann halte ich es für sehr wahrscheinlich, dass er Wolff gehört hat! Wer sonst käme auf die abwegige Idee, ausgerechnet hier Fallschirm zu springen? Für Wolff hingegen wäre es eine gute Möglichkeit gewesen, unmittelbar auf der Insel zu landen!" Ehe er sich weiter in Mutmaßungen verstrickte, wollte Henry lieber sicher gehen, dass es sich *tatsächlich* um einen Fallschirm handelte. Hastig griff er nach seinem Fernglas.

Lege dein FERNGLAS auf die vorgezeichnete Schablone, um einen genaueren Blick auf das Bündel zu werfen, und folge der Anweisung. Wenn du kein FERNGLAS in deiner FLUGZEUG-KARTE hast, geht's stattdessen bei 118 weiter.

GÜEHKEO R ZP U
FEII LRNSTS O
ACREM CSYHTH T
DDRFKEOI HT

247

„Wo ist der Wasserfall?", platzte Henry heraus. Wieder zögerte sie mit der Antwort – unsicher, was sie von dem merkwürdigen Mann mit dem kreisrunden Glas in seinem Auge halten sollte. Fred beschloss, ebenfalls sein Glück zu versuchen.

„Vielleicht könnten Sie ihn uns ja auf der Karte zeigen?", bat er sie freundlich und griff in seine Jackentasche.

Suche auf deiner LANDKARTE, in welchem Planquadrat der Wasserfall liegt, und folge der Anweisung. Wenn du keine LANDKARTE in deiner FLUGZEUG-KARTE hast, musst du raten, bei welchem Abschnitt es weitergeht.

192

Bei B2   weiter geht's bei 85
Bei A2   weiter geht's bei 260
Bei A3   weiter geht's bei 166

248

„Vielleicht ist sein Zustand doch gar nicht so schlecht", murmelte Fred, als er das Fernglas scharf gestellt hatte. „Zwar sind eine Menge Bretter kaputt, aber die Konstruktion sieht mir noch recht stabil aus. Es ist wahrscheinlich ein ebenso guter Landeplatz wie jeder andere!" Biggles drückte die Nase der Auster augenblicklich nach unten und kam nur wenige Meter vor dem Holzsteg zum Halten.

Weiter geht's bei 230

249

Als Biggles das Rascheln von Freds Landkarte hörte, bat er ihn, die Karte wieder wegzulegen.

„Im Moment solltest du dich lieber auf das Meer konzentrieren", meinte er. „Wir brauchen jetzt all unsere Aufmerksamkeit, um das Wrack nicht zu übersehen. Wer weiß, wie groß es ist und wie viel davon überhaupt aus dem Wasser ragt." Dann wandte er sich an Henry. Ihm war aufgefallen, dass sein Kollege sein Fernglas gar nicht mehr um den Hals trug, und er wollte wissen, was damit geschehen sei.

„Ach, nichts Besonderes", erwiderte dieser und machte eine abwehrende Handbewegung. „Ich dachte nur, dass der kleine Kerl von eben eine kleine Belohnung verdient hatte. Und da habe ich ihm mein Fernglas geschenkt."

193

Wenn du bereits ein FERNGLAS in deiner FLUGZEUG-KARTE hast, dann musst du es jetzt leider wieder abgeben.
Weiter geht's bei 145

250

„Den brauchen Sie nicht", sagte der Junge zu Biggles, als er sah, wie dieser seinen Kompass aus der Tasche zog. „Ich kenne die Himmelsrichtungen. Das hat mir mein Groß-vater beigebracht. Das böse Schiff liegt im Nordwesten." Biggles schob den Kompass in seine Tasche zurück und dankte dem Jungen erneut.

„Also, die Reise geht nach Nordwesten", informierte er seine Kollegen, sobald er seinen Platz im Cockpit einge-nommen hatte.

Weiter geht's bei 221

251

Wie sich herausstellte, war die Bucht weitaus weniger lan-detauglich, als es den Anschein gehabt hatte. Von oben be-trachtet, hatte sie völlig ungefährlich ausgesehen, doch als die Auster nun über die Wasserfläche glitt, erschütterte ein heftiger Ruck die Maschine. Sie mussten einen Felsen gestreift haben! Glücklicherweise gelang es Biggles, die Maschine unter Kontrolle zu halten und brachte sie schließlich zum Halten. Wie durch ein Wunder war das Fahrgestell unbeschädigt geblieben! Nur Henrys Kompass war durch die Erschütterung auf den Fußboden gefallen. Als er ihn aufhob, sah er, dass die Nadel nicht mehr funktionierte.

Wenn du bereits einen KOMPASS in deiner FLUGZEUG-KARTE hast, dann musst du ihn jetzt leider wieder abgeben.
Weiter geht's bei 201

252

„Südwesten ist in dieser Richtung", rief Fred, nachdem er seinen Kompass ausgerichtet hatte. „Das ist genau da, wo das Wrack liegt. Sieht so aus, als hätten wir den richtigen Riecher gehabt. Wolff hat hier *tatsächlich* seine Pläne versteckt!" Wieder wollte Fred den Deckel schließen, als er erneut innehielt. Wenn ihn nicht alles täuschte, hatte die Kiste einen doppelten Boden! Mit klopfendem Herzen zerrte er an der dünnen Metallplatte und entdeckte ein Geheimfach. Darin lag ein weiteres Kodierungsbuch von Wolff!

Wenn du noch keine KODIERUNGS-KARTE in deiner FLUGZEUG-KARTE hast, dann kannst du sie dir jetzt holen.
Weiter geht's bei 264

„ACHTUNG: STRENG GEHEIME PLÄNE – NUR FÜR VERFÜGUNGSBERECHTIGTE!", las Fred laut vor, nachdem er die Symbole entschlüsselt hatte. Mit triumphierender Miene schraubte er den Deckel auf. Endlich waren sie am Ende ihrer Suche angelangt! Sein Lächeln erstarb. Die Röhre war leer!

„Mach nicht so ein enttäuschtes Gesicht, Fred", sagte Biggles tröstend. „Das muss nicht unbedingt heißen, dass uns jemand anderes zuvorgekommen ist, falls du das meinst. Vielleicht hat Wolff einfach nur die Pläne aus der Röhre genommen, ehe er sie irgendwo versteckt hat. Wenn ihr mich fragt, bin ich immer noch davon überzeugt, dass sie sich auf diesem Wrack befinden."

Fred wollte der Röhre gerade einen wütenden Tritt versetzen, als er dicht daneben ein nahezu vollkommen im Sand vergrabenes Fernglas entdeckte. Ob das auch von Wolff stammte?

Wenn du noch kein FERNGLAS in deiner FLUGZEUG-KARTE hast, dann kannst du es dir jetzt holen.
Weiter geht's bei 264

Henry kletterte als Erster ans Ufer. Er würde furchtlos jeder feindlichen Flugzeugstaffel trotzen, aber Schlangen ... das fand er gar nicht komisch. Entschlossen marschierten sie flussaufwärts Richtung Wasserfall. Sie waren noch nicht weit gegangen, als sie plötzlich ein Brummen über ihren Köpfen vernahmen. Es klang wie ein kleines Motorflugzeug oder ein Hubschrauber!

„Moment, ich werf mal einen Blick durch mein Fernglas", sagte Fred ...

Lege dein FERNGLAS auf die vorgezeichnete Schablone, um einen genaueren Blick auf den Himmel zu werfen, und folge der Anweisung. Wenn du kein FERNGLAS in deiner FLUGZEUG-KARTE hast, geht's stattdessen bei 279 weiter.

```
G   DEHKEO   R   ZP   U
GFZWIECKI    T      O
SCDEFECOY    THHS
BZDWFKEOIX   HPN
```

„Das muss ich mir wohl nur eingebildet haben", murmelte Fred, als er das Fernglas auf den Schoner gerichtet hatte. „An Deck ist niemand zu sehen." Er setzte das Fernglas wieder ab. Trotzdem hatte er immer noch ein mulmiges Gefühl. Sollte der Junge etwa Recht damit haben, dass es auf dem Wrack spukte? Wenig später entdeckte Biggles ein vergilbtes Notizbuch unter seinem Sitz.

„Wolff hat also tatsächlich dieses Boot hier benutzt", erklärte er, während er neugierig durch das Buch blätterte. „Seht nur, hier drin stehen noch mehr von seinen Geheimkodes!"

Wenn du noch keine KODIERUNGS-KARTE in deiner FLUGZEUG-KARTE hast, dann kannst du sie dir jetzt holen.
Weiter geht's bei 66

„So, und wie geht's jetzt weiter?", fragte Henry und blickte auf die herannahende Insel. „Die Insel zu finden war nicht allzu schwer, aber die Pläne … das ist eine ganz andere Sache! Die Entwürfe können praktisch überall versteckt sein!" Biggles nickte nachdenklich. Henry hatte Recht – genauso gut könnten sie eine Nadel im Heuhaufen suchen –, aber was blieb ihnen anderes übrig: Sie mussten es einfach versuchen.

„Wir werden erst mal landen und uns ein bisschen umsehen", erwiderte er. „Wer weiß, vielleicht haben wir ja Glück und stoßen zufällig auf irgendeinen Hinweis. Hat jemand einen Vorschlag, wo wir wassern sollen?"

Mit dem PERSONENWÜRFEL bestimmst du, wer einen Vorschlag macht.

BIGGLES   weiter geht's bei 178
HENRY   weiter geht's bei 12
FRED   weiter geht's bei 77

257

„Ich muss dich leider enttäuschen, mein Freund", meinte Henry zu Biggles, nachdem er sein Fernglas auf die gräuliche Erhebung gerichtet hatte. „Es ist *kein* Boot! Es ist sogar gänzlich schwimmuntauglich … nämlich ein Felsbrocken!" Während Biggles die Auster nach rechts ins Landesinnere lenkte, verzog er den Mund zu einem schiefen Lächeln. Das zeigte nur, wie verzweifelt sie nach einer Spur suchten!

Weiter geht's bei 158

Ohne einen Blick durch sein Fernglas zu werfen, rannte
Biggles wie von der Tarantel gestochen den Berg hinab.
Wenn *tatsächlich* jemand an ihrem Flugzeug herumschnüf-
felte, dann zählte jede Sekunde!

Wo auch immer es ging, nahmen sie Abkürzungen, schlit-
terten rutschige Pfade hinab und waren oft kurz davor zu
stürzen. Als Biggles' Landkarte aus seiner Jackentasche fiel,
achtete er nicht weiter darauf. Sie durften keine Zeit verlie-
ren!

*Wenn du bereits eine LANDKARTE in deiner FLUG-
ZEUG-KARTE hast, dann musst du sie jetzt leider wieder
abgeben.*
Weiter geht's bei 142

259

„Das da vorne könnte doch ein Schwarm Flamingos sein,
was meint ihr?", sagte Biggles und zeigte auf eine Ansammlung von rosaroten Punkten am Horizont. „Ja, da besteht
überhaupt kein Zweifel. Womöglich fliegen sie gerade ins
Sumpfgebiet zurück. Also, nichts wie hinterher!"

Henry war sich da gar nicht so sicher. Mit zusammenge-
kniffenem Auge spähte er durch sein Monokel. Seiner Meinung nach sah das eher wie ein Schwarm Wildgänse aus!

Damit sie nicht unnötig Benzin für eine sinnlose Verfolgungsjagd verschwendeten, griff er nach seinem Fernglas, um einen genaueren Blick auf die Vögel zu werfen …

Lege dein FERNGLAS auf die vorgezeichnete Schablone, um einen genaueren Blick auf den Vogelschwarm zu werfen, und folge der Anweisung. Wenn du kein FERNGLAS in deiner FLUGZEUG-KARTE hast, geht's stattdessen bei 209 weiter.

```
G   DEHKEO   R   ZP   U
GFEIINCKS   T      O
NCDEFEUOY   TH      N
BSDEFKCOHX   HPNS
```

260

„Ich brauche keine Karte", erklärte die Frau und warf energisch den Kopf in den Nacken. Sie deutete mit dem Finger in die Ferne. „Der Wasserfall ist in dieser Richtung", fuhr sie fort. „Sie werden ihn problemlos von Ihrem Flugzeug aus erkennen können." Die drei Männer kletterten flink in die Auster zurück und Biggles steuerte die Maschine in die vorgegebene Richtung.

In der Luft bemerkte Fred plötzlich, dass sein Kompass nicht mehr in seiner Tasche war. Er musste herausgefallen sein, als er nach der Landkarte gegriffen hatte.

Wenn du bereits einen KOMPASS in deiner FLUGZEUG-KARTE hast, dann musst du ihn jetzt leider wieder weglegen.
Weiter geht's bei 197

261

Wenige Minuten später setzte die Auster in der Mitte des Sumpfgebiets auf, nachdem Biggles zu der Überzeugung gelangt war, dass das Wasser ausreichend tief sei. Während die drei ans Ufer wateten, bemerkte Henry einen Jungen, der misstrauisch zwischen Schilfhalmen zu ihnen herüberäugte.

„Hey, du da!", rief er. Der Junge drehte sich blitzschnell um und rannte davon. „Halt, warte doch mal!", rief Henry und setzte ihm nach. „Hab keine Angst! Wir tun dir nichts!" Zunächst sah es nicht so aus, als könnte Henry den Jungen jemals einholen, denn der rannte, als sei der Teufel höchstpersönlich hinter ihm her … bis er stolperte und der Länge nach hinfiel.

Weiter geht's bei 28

262

„Ich kann rein gar nichts erkennen ...", sagte Fred stirnrunzelnd. „Das Problem ist, dass man von hier aus nur
einen schmalen Streifen freien Himmel sieht. Der Rest ist
vollkommen zugewachsen." Jetzt wussten sie immer noch
nicht, ob hier ein Flugzeug herumgeisterte oder nicht!
Sie wollten gerade ihren Marsch fortsetzen, als Biggles'
Blick auf einen rostigen Kompass auf dem Boden fiel. Ob er
wohl Wolff gehört hatte?

*Wenn du noch keinen KOMPASS in deiner FLUGZEUG-
KARTE hast, dann kannst du ihn dir jetzt holen.*
Weiter geht's bei 89

263

Die drei Männer waren knapp hundert Meter den Berg hin-
abgestiegen, als Biggles über einen losen Stein stolperte und
der Länge nach hinfiel. Glücklicherweise hatte er sich nicht
ernsthaft verletzt. Als er jedoch einen Blick auf sein Fernglas warf, das er um den Hals getragen hatte, stellte er be-
trübt fest, dass die Gläser gesplittert waren.

*Wenn du bereits ein FERNGLAS in deiner FLUGZEUG-
KARTE hast, musst du es jetzt wieder abgeben.*
Weiter geht's bei 194

Die drei zerbrachen sich gerade den Kopf, wie sie am besten zu dem Wrack hinübergelangen sollten – so wie es aussah, mussten sie wohl oder übel schwimmen –, als Henrys Blick auf ein kleines Ruderboot fiel. Es lag direkt hinter ihnen am Strand zwischen ein paar Palmen verborgen.

„Ich frage mich, ob Wolff selbst dieses Boot benutzt hat, um zum Wrack zu gelangen", sagte Biggles nachdenklich, während sie das Boot zum Wasser trugen und hineinsprangen. „Ich wüsste nicht, wozu es sonst hier liegen sollte."

Während sie sich dem Wrack näherten, glaubte Fred plötzlich, eine Gestalt an Deck auszumachen. Nervös griff er nach seinem Fernglas.

Lege dein FERNGLAS auf die vorgezeichnete Schablone, um einen genaueren Blick auf das Schiffsdeck zu werfen, und folge der Anweisung. Wenn du kein FERNGLAS in deiner FLUGZEUG-KARTE hast, geht's weiter bei 149.

```
G  DEHKEO       ZP  U
GFZWIECK      TI   O
FCDEF  ÜOY   TH  NF
FDÜR    ENXFIPN
```

„Ich muss mich bei dir entschuldigen, Fred", sagte Henry, während er durch das Fernglas auf die Stelle blickte, auf die sein Freund gezeigt hatte. „Sieht so aus, als müssten Biggles und ich tatsächlich zum Augenarzt. Da hinten liegt unbestritten Land!" Biggles betätigte augenblicklich mit dem Fuß das rechte Ruder und korrigierte die Flugrichtung. Jetzt konnte es nicht mehr lange dauern, bis sie am Ziel waren …

Weiter geht's bei 115

„Ich hab was!", rief Fred mit nach oben gerichtetem Fernglas. „Ein Flugzeug! Es befindet sich ungefähr tausend Meter über uns. Es ist eine kleine Maschine, genau wie wir auch. Den Typ kann ich allerdings nicht erkennen. Wartet mal – jetzt dreht sie wieder ab, Richtung Jamaika. Tja, sieht so aus, als hätten wir uns umsonst Sorgen gemacht." Aber flog die Maschine auch *wirklich* nach Jamaika zurück, fragte sich Biggles insgeheim, oder tat sie nur so, damit sie keinen Verdacht schöpften?

Weiter geht's bei 228

267

Laut Freds Kompass bogen sich die Palmen in Richtung Westen. Das musste dann wohl die vorherrschende Windrichtung auf der Insel sein.

„Hoffentlich macht uns der Wind keinen Ärger", sagte Biggles über seine Schulter hinweg. „Ich habe gehört, dass er hier manchmal Orkanstärke erreichen kann!"

Weiter geht's bei 173

268

Ehe Biggles seine Landkarte aufgeklappt hatte, schoss ihm ein Gedanke durch den Kopf. Vielleicht war es ja gar nicht so gut, die Höhe des Berges zu kennen. Anstatt sie zu *er*mutigen, würde es sie wahrscheinlich eher *ent*mutigen. Kurz entschlossen schob er die Karte in seine Jackentasche zurück. Dabei bemerkte er, dass die Kopie von Wolffs Kodierungsbuch verschwunden war. Das Papier musste ihm unterwegs aus der Tasche gefallen sein, als er wegen der großen Hitze die Jacke ausgezogen hatte.

Wenn du bereits eine KODIERUNGS-KARTE in deiner FLUGZEUG-KARTE hast, dann musst du sie jetzt leider wieder abgeben.

Weiter geht's bei 208

Das dunkelgrüne Blätterdach unter ihnen schien kein Ende nehmen zu wollen, als plötzlich eine riesige hellgrüne Fläche auftauchte.

„Was sind denn das für Pflanzen?", fragte Fred neugierig. Biggles hatte sich gerade die gleiche Frage gestellt, als er mehrere halb verfallene Öfen zwischen den gelbgrünen Pflanzen entdeckte.

„Das muss Zuckerrohr sein", rief er. „Scheinbar war hier vor vielen Jahren einmal eine Plantage. Schau doch bitte mal auf der Karte nach, ob dort was eingetragen ist, Fred. Dann wissen wir wenigstens, wo wir uns befinden."

Suche auf deiner LANDKARTE, in welchem Planquadrat die Zuckerrohr-Plantage liegt, und folge der Anweisung. Wenn du keine LANDKARTE in deiner FLUGZEUG-KARTE hast, musst du raten, bei welchem Abschnitt es weitergeht.

Bei D2   weiter geht's bei 235
Bei C2   weiter geht's bei 195
Bei B2   weiter geht's bei 48

Als Fred seine Landkarte aufklappte, wurde die Maschine plötzlich von einem heftigen Ruck erschüttert. Der Fluss schien doch nicht so gut zum Landen zu taugen, wie sie geglaubt hatten.

„Ich glaube, wir haben gerade einen Felsen gestreift!", rief Biggles sichtlich beunruhigt, während er versuchte, die Auster auf der Wasseroberfläche zu halten. „Hoffentlich gibt es nicht noch mehr davon!" Sie hatten Glück – kurze Zeit später kam das Flugzeug ohne weitere Zwischenfälle zum Halten.

Biggles atmete erleichtert auf. Dann streifte sein Blick die Benzinuhr. Ihr Treibstoffvorrat war schon erheblich gesunken!

Drehe die Nadel auf deiner BENZINUHR um ein Farbfeld im Uhrzeigersinn weiter. (Vergiss nicht: Wenn die Nadel das GEFAHR-Feld auf deiner BENZINUHR erreicht, musst du das Spiel sofort beenden und noch einmal von vorn beginnen.)
Weiter geht's bei 164

Biggles erreichte das Flugzeug als Erster, Fred folgte direkt hinter ihm. Aber wo blieb Henry? Sie blickten sich suchend um und sahen, dass er noch einmal zu dem Jungen zurückgerannt war.

„Wir haben ganz vergessen, ihn zu fragen, wo dieses Schiffswrack überhaupt liegt!", erklärte Henry kurze Zeit später, als er zum Flugzeug zurückgekehrt war. „Er sagt, wir sollen dem Fluss in Richtung Meer folgen und dann im Uhrzeigersinn an der Küste entlangfliegen." Biggles befolgte die Anweisungen und versuchte dabei, so tief wie nur möglich zu fliegen. Kurz nachdem sie die Küste erreicht hatten, entdeckte Fred einen riesigen Felsen in einer Sandbucht. Er war so auffällig geformt, dass er dachte, er sei vielleicht auf der Karte eingezeichnet …

Suche auf deiner LANDKARTE, in welchem Planquadrat sich der Fels befindet, und folge der Anweisung. Wenn du keine LANDKARTE in deiner FLUGZEUG-KARTE hast, musst du raten, bei welchem Abschnitt es weitergeht.

Bei D4	**weiter geht's bei 249**
Bei C4	**weiter geht's bei 145**
Bei B4	**weiter geht's bei 176**

272

Fred suchte das Haus immer noch auf der Landkarte, als Henry plötzlich den Wasserfall entdeckte. Er lag sechs oder sieben Meilen zu ihrer Rechten. Während Biggles die Flugrichtung korrigierte, fiel sein Blick zufällig auf die Benzinuhr. Seit er den Stand das letzte Mal überprüft hatte, war der Treibstoff erheblich gesunken!

Drehe die Nadel auf deiner BENZINUHR um ein Farbfeld im Uhrzeigersinn weiter. (Vergiss nicht: Wenn die Nadel das GEFAHR-Feld auf deiner BENZINUHR erreicht, musst du das Spiel sofort beenden und noch einmal von vorn beginnen.)
Weiter geht's bei 153

273

„Psst!", zischte Biggles plötzlich, ehe Henry sich an die Entschlüsselung machen konnte. „Ich glaube, da ist jemand!" Sie verharrten regungslos und lauschten angestrengt auf jedes Blätterrascheln und Wasserplätschern.
„Wahrscheinlich war es nur Einbildung", sagte Biggles nach einigen Minuten der Stille. „Trotzdem sollten wir so schnell wie möglich zum Wasserfall gehen. Nimm das Messer mit, Henry. Du kannst es dir später genauer ansehen."
Biggles hatte es plötzlich so eilig, dass er nicht einmal merkte, dass sein Kompass auf den Boden gefallen war.

Wenn du bereits einen KOMPASS in deiner FLUGZEUG-KARTE hast, dann musst du ihn jetzt leider wieder abgeben.
Weiter geht's bei 89

274

„Warte mal mit dem Kodierungsbuch, mein Freund", meinte Henry zu Fred, ehe dieser die Kopie hervorziehen konnte. „Lass uns erst mal nachsehen, was überhaupt in der Röhre drin ist." Mit zusammengepressten Zähnen drehte Fred an dem stark verrosteten Deckel. Endlich bewegte er sich.

„Zu schade, die Röhre ist leer", murmelte er enttäuscht. „Dann können wir uns das Entschlüsseln wohl auch sparen. Bestimmt hat es etwas mit dem ehemaligen Inhalt zu tun."

Weiter geht's bei 264

275

Die Auster kreiste über der flaschenförmigen Insel, in der Hoffnung, dort irgendwelche Hinweise auf die versteckten Pläne zu finden. Nicht, dass es dafür irgendein konkretes Anzeichen gegeben hätte – aber man konnte ja nie wissen! „Fällt irgendjemandem etwas auf?", erkundigte sich Biggles, während er die Maschine so niedrig wie nur möglich hielt.

Mit dem PERSONENWÜRFEL bestimmst du, wer etwas entdeckt.

BIGGLES   **weiter geht's bei 168**
HENRY   **weiter geht's bei 29**
FRED   **weiter geht's bei 151**

276

Während Fred seine Landkarte aufklappte, schlug Biggles vor, ein charakteristischeres landschaftliches Merkmal abzuwarten.

„Nach allem, was wir wissen", gab er zu Bedenken, „könnte es an dieser Küste sehr gut mehrere Höhlen geben. Woher sollen wir wissen, welches die richtigen sind?" Also klappte Fred die Landkarte wieder zu und hielt nach einem eindeutigeren Erkennungszeichen Ausschau. Unter ihnen erstreckte sich nichts als eintönige Dschungellandschaft.

„Kein Wunder, dass hier kaum jemand wohnt", bemerkte Biggles, während er einen besorgten Blick auf die Benzinuhr warf. Die Treibstoffanzeige war schon wieder zurückgegangen!

Drehe die Nadel auf deiner BENZINUHR um ein Farbfeld im Uhrzeigersinn weiter.
Weiter geht's bei 246

Biggles war gerade im Begriff, die Auster näher an die Höhlen heranzufliegen, als er eine Flutmarke entdeckte. Sie befand sich auf gut drei viertel Höhe des Höhleneingangs. Mit anderen Worten: Bei Flut wären die Höhlen fast vollkommen mit Wasser gefüllt.

„Das wäre Wolff bestimmt auch aufgefallen", meinte Biggles zu seinen Kollegen, „und deshalb hätte er sie mit Sicherheit nicht als Versteck ausgesucht. Selbst wenn man die Pläne in einem wasserdichten Behälter verstaut, besteht immer noch das Risiko, dass sie vom Wasser mitgerissen werden." Biggles zog am Steuerknüppel und die Auster kletterte wieder in die Höhe.

Während sie sich dem Landesinneren zuwandten und den dichten, sattgrünen Pflanzenteppich überflogen, warf er einen erneuten Blick auf die Benzinuhr. Der Treibstoff war schon wieder gesunken.

Drehe die Nadel auf deiner BENZINUHR um ein Farbfeld im Uhrzeigersinn weiter.
Weiter geht's bei 48

Fred hatte gerade das Fernglas auf die dunkle Stelle im Meer gerichtet, als Henry plötzlich erfreut aufschrie.

„Vergiss das da unten, mein Freund", erklärte er, während er sein Monokel polierte, um sicher zu gehen, dass er sich nicht täuschte. „Da *hinten* ist unser Schiffswrack – ungefähr eine halbe Meile von hier. Es ist nicht zu übersehen: Der gesamte Bug ragt aus dem Wasser!" Biggles hörte sofort auf, um die dunkle Stelle im Wasser zu kreisen, und flog auf das gestrandete Schiff zu. Dabei warf er einen prüfenden Blick auf die Benzinuhr. Ihr Treibstoffvorrat war bedenklich gesunken!

Drehe die Nadel auf deiner BENZINUHR um ein Farbfeld im Uhrzeigersinn weiter. (Vergiss nicht: Wenn die Nadel das GEFAHR-Feld auf deiner BENZINUHR erreicht, dann musst du das Spiel sofort beenden und noch einmal von vorn beginnen.)
Weiter geht's bei 186

279

Als Fred das Fernglas an die Augen gesetzt hatte, war das Geräusch verstummt. Achselzuckend ließ er es sinken und sie setzten ihren Marsch zum Wasserfall fort.

„Da ist es wieder!", rief Henry einige Minuten später. Doch Biggles schüttelte den Kopf. Diesmal war es ein völlig anderes Geräusch ... das Geräusch von herabstürzendem Wasser. Sie waren kurz vor dem Ziel!

Weiter geht's bei 89

280

„Meint ihr, dass wir wirklich auf einer Karte nachschauen müssen?", fragte Fred und streckte den Kopf über Henrys Schulter, während dieser in seine Jackentasche griff. „Wisst ihr noch, wie wir in der Zentrale auf einer großen Landkarte zum ersten Mal Flamingo Island gesucht haben? Da haben wir doch gesehen, dass sich westlich von Jamaika nur eine einzige Insel befindet: Flamingo Island." Doch Henry erwiderte, sicher sei sicher.

„Stell dir doch nur mal vor, unser Pilot hier ist aus Versehen nach Osten anstatt nach Westen geflogen!", meinte er kichernd.

Weiter geht's bei 203

281

Nachdem er die Zeichen auf dem Brett entschlüsselt hatte, polierte Henry nachdenklich sein Monokel.

„Hier steht: GEHE GEN WESTEN ÜBER DIE INSEL", sagte er zu Fred, während er das Glas behutsam an seinen Platz zurücksetzte. „Ob die Nachricht allerdings von Wolff stammt oder nicht, weiß nur Gott allein!"

Als sie die rostigen Blechhütten unmittelbar an der Anlegestelle durchsuchten, stieß Fred auf einen weiteren interessanten Hinweis. In der Ecke einer der Unterstände lag ein

Fernglas … auf dem in Goldlettern der Name Werner Wolff stand!

„Das hat er bestimmt gebraucht, um zu kontrollieren, ob sich jemand der Insel nähert", rief Fred aufgeregt.

Wenn du noch kein FERNGLAS in deiner FLUGZEUG-KARTE hast, dann kannst du es dir jetzt holen.
Weiter geht's bei 243

Kaum war Biggles nur wenige Meter vom Ufer entfernt auf der spiegelglatten Wasseroberfläche gelandet, spurtete das Team auch schon zum Rucksack.

„Verflixt, er ist leer!", erklärte Henry, nachdem er den Rucksack aus rotem Segeltuch umgedreht und geschüttelt hatte. „Und ich hatte schon gehofft, wir würden die Pläne darin finden." Es gab nicht einmal einen Hinweis darauf, dass der Rucksack überhaupt Wolff gehört hatte. Oder etwa doch? Biggles' Blick fiel auf einige verblasste Tintenkleckse auf dem roten Segeltuch. Sie sahen wie verschlüsselte Zeichen aus! Hastig griff er in seine Tasche und zog die Kopie von Wolffs Kodierungsbuch hervor.

Mit Hilfe der KODIERUNGS-KARTE kannst du die Symbole entschlüsseln. Wenn du keine KODIERUNGS-KARTE in deiner FLUGZEUG-KARTE hast, geht's bei Abschnitt 59 weiter.

283

Wenige Meilen vor der Küste von Flamingo Island entdeckte Fred plötzlich noch ein Flugzeug am Himmel – genauer gesagt, er sah einen roten Punkt zu seiner Rechten. Wurden sie etwa verfolgt?

„Flieg mal einen kleinen Umweg, Captain", schlug er vor, während er sich weit aus dem Fenster beugte. „Mal sehen, ob uns das Flugzeug folgt." Biggles nickte, drehte eine abrupte Linksschleife und flog zum äußersten Zipfel der kleinen Insel zurück. Das Flugzeug folgte ihnen *nicht* – doch die drei Männer hatten immer noch ein ungutes Gefühl. Diese Extratour hatte sie auch eine Menge Treibstoff gekostet!

Drehe die Nadel auf deiner BENZINUHR um ein Farbfeld im Uhrzeigersinn weiter.
Weiter geht's bei 228

Biggles kreiste über der Felsengruppe, bis Fred seinen Kompass aus der Tasche gezogen hatte. Sollte das wirklich ein Hinweis von Wolff sein? Wenn ja, dann würde das ihre Suche jedenfalls bedeutend erleichtern!

Weiter geht's bei 2

PERSONENWÜRFEL

Kopiere die unten abgebildeten Symbole
für Biggles, Henry und Fred je zweimal
und schneide sie aus.

Nimm einen normalen Würfel und klebe
die beiden Biggles-Symbole auf einander
gegenüberliegende Würfelseiten.
Danach musst du nur noch die beiden
Henry-Symbole und die beiden Fred-Symbole
auf die Würfelseiten kleben –
fertig ist dein PERSONENWÜRFEL.

Fiona Kelly

Geheimnisvolle Spuren

Mystery Club Band 1

Der Keller sah aus, als hätte ihn jahrelang kein menschliches Wesen mehr betreten. Als Holly die Tür geöffnet hatte, bemerkte sie sofort den staubigen, muffigen Geruch von altem Papier. Eine Hälfte des Keller war mit Regalen voll gestellt, in denen unzählige in schwarzes Leder gebundene Jahrbücher standen. Der andere Teil des Raums war voller Kartons, aus denen Papiere, Aktenordner und alte Schulbücher quollen.

„Ist das staubig hier!", stellte Tracy fest. „Wir werden aussehen wie die Schornsteinfeger."

„Aber für einen guten Zweck", bemerkte Holly. „Dies ist unser erster Fall. Das geheimnisvolle Leben der Winifred Bowen-Davies."

„Seht euch das an", rief Belinda und wischte den Staub von einem dicken alten Buch. „Seht auf das Jahr: 1912. Das Buch ist älter als meine Großmutter!"

„Dieses hier ist noch älter", sagte Tracy. „1891." Sie zog an dem Jahrbuch und brach unter seinem Gewicht fast zusammen, als sie es schließlich aus dem Regal gezerrt hatte.

Die alten Bücher erwiesen sich als überaus interessanter Lesestoff. Jedes der Mädchen nahm sich ein Buch, und sie verbrachten die nächste halbe Stunde damit, vorsichtig Seite um Seite des trockenen, an den Rändern vergilbten Papiers umzublättern.

Holly klappte ihr Buch zu. „Es steht nichts über Winifred drin", stellte sie fest. Sie schaute auf die gestapelten Kartons. „Ich frage mich allmählich, ob wir überhaupt etwas finden werden, das uns weiterhilft."

„Das frage ich mich auch", sagte Belinda und wischte sich mit ihrer schmutzigen Hand eine widerspenstige Haarsträhne aus dem Gesicht.

Tracy begann, in die Kartons zu schauen. Sie fand ein paar alte Schwarzweißfotos von Schülerinnen in altmodischen Schuluniformen. „Seht nur, was für Hüte die Mädchen damals tragen mussten!", sagte sie. „Und die Lehrer! Sie haben alle schwarze Talare an. Könnt ihr euch unsere Lehrer in solchen Talaren vorstellen? Sie würden aussehen wie ein Haufen verrückter Fledermäuse."

„Hier sind ein paar gerahmte Bilder", stellte Holly fest. Die Bilder standen hochkant hinter den Kartons. Sie wollte einige hervorziehen, doch sie waren zu fest eingekeilt. „Könnt ihr mir helfen?", fragte sie. Die drei Mädchen versuchten, die Kartons wegzuschieben. Die älteren Kartons gingen dabei kaputt, und die in ihnen aufbewahrten Papiere verteilten sich auf dem Boden.

„Dieses Zeug hat bestimmt jahrelang niemand mehr angefasst", sagte Belinda und sammelte die Papiere auf.

Holly quetschte sich in die Lücke zwischen Kartonstapel und Wand und zog an einer der gerahmten Fotografien. Eine Gruppe von Lehrern starrte sie durch das fleckige, halb blinde Glas finster an.

„Was ist denn das?", fragte Tracy und zeigte auf den Boden vor Hollys Füßen.

Es war eine Rolle, die mit einer Schnur zusammengebunden war. Holly hob sie hoch. Die Rolle hatte eine Länge von etwa einem Meter und war ziemlich schwer.

„Das ist eine Leinwand", sagte sie.

„Los, roll sie auseinander", verlangte Tracy. „Vielleicht ist es etwas Interessantes."

Sie legten die dicke Rolle auf den Boden.

„Wir brauchen etwas, um die Schnur durchzuschneiden", sagte Tracy. „Diese vielen Knoten können wir nic lösen."

„Das übernehme ich", sagte Belinda. „Knoten sind meine Spezialität." Sie hockte sich hin und begann mit spitzen Fingern an den Knoten zu zupfen. Die Stränge der Schnur lösten sich allmählich. Dann entrollte Belinda sehr vorsichtig die Leinwand.

„Seht nur", sagte sie. „Es ist ein Gemälde."

Sie beschwerten die Ecken der Leinwand mit Büchern und traten dann etwas zurück, um sich das Bild genauer anzusehen. Es war das Porträt einer Frau. Sie trug ein altmodisches weißes Kleid mit unzähligen Rüschen. Der Hintergrund, vor dem der Künstler sie gemalt hatte, sah aus wie der Garten eines Herrenhauses. Das Haus selbst war auch dargestellt, doch es lag weit im Hintergrund. Auf der linken Seite des Gemäldes war ein kleineres Haus zu sehen und auf der rechten ein merkwürdiges rundes Gebäude, das nur aus kreisförmig angeordneten Säulen bestand, auf denen ein flaches Dach ruhte. Die Frau schaute ernst drein. Ihre Haut war so hell, dass sie fast weiß wirkte, und ihr langes hellblondes Haar trug sie nach hinten gesteckt. Sie hatte die traurigsten Augen, die Holly je gesehen hatte.

„Ich wüsste zu gern, wer sie ist", sagte Holly.

„Sie sieht nicht sehr glücklich aus", stellte Belinda fest.

„Du meinst wohl, sie sah nicht glücklich aus", sagte Tracy. „Seht euch doch ihr Kleid an. Dieses Bild muss uralt sein."

„Ob jemand weiß, dass dieses Bild hier unten ist?", überlegte Holly. „Miss Horswell sagte doch, es wäre seit Jahren niemand mehr in diesem Keller gewesen. Ich habe einmal eine Fernsehsendung gesehen, in der Leute ein Gemälde auf dem Speicher gefunden haben, und als sie es dann von einem Experten begutachten ließen, stellte sich heraus, dass es ein Vermögen wert war. Vielleicht ..."

„Immer mit der Ruhe", bremste Belinda ihren Eifer. „Du glaubst doch wohl nicht wirklich, dass dieses Bild hier unten verrotten würde, wenn es etwas wert wäre?"

„Man kann nie wissen", sagte Tracy. „So etwas passiert immer wieder. Und das Bild ist eindeutig sehr alt. Ist es signiert?"

Die Mädchen suchten nach einer Signatur. „Hier ist sie", sagte Holly und schob das Buch zur Seite, mit dem sie die linke untere Ecke des Bildes beschwert hatten. „Das nützt uns nicht viel." In krakeliger schwarzer Schrift stand auf dem Bildrand „R. B. nach H. B."

„Was mag das bedeuten?", fragte Holly.

„Ich schlage vor, dass wir es zu Miss Horswell bringen", sagte Tracy. „Selbst wenn es nicht wertvoll ist, ist es zu schade, um im Keller zu liegen. Es sollte aufgehängt werden."

„Und wenn es wertvoll ist", sagte Holly, „werden wir in die Zeitung kommen. ‚Findige Schülerinnen entdecken verlorenes Meisterwerk.‘ Wir wären berühmt."